120 vragen over CARA

Astma
Chronische bronchitis
Emfyseem

120 vragen over CARA

Astma
Chronische bronchitis
Emfyseem

W.T.J. van den Brink
longarts

Het Spectrum

Boeken van Het Spectrum worden in de handel gebracht door:
Uitgeverij Het Spectrum B.V.
Postbus 2073
3500 GB Utrecht

Tekeningen: René van Luyn
Zetwerk: Elgraphic + DTQP B.V., Schiedam
Druk: Mackays, Engeland
Eerste druk 1984
Tweede druk 1986
Derde herziene druk 1989
(Druk een t/m drie als: *Honderd vragen over CARA*)
Vierde, geheel herziene druk 1993
Vijfde druk 1994
Zesde, geheel herziene druk 1994
Zevende, herziene druk, 1995
Achtste, geheel herziene druk, 1997

Illustraties p. 31, 32 en 34 nagetekend op basis van afbeeldingen uit de brochure
'Ateminstruktion für Patiënten mit chronischen obstruktiven Lungenkrankhei-
ten' van de 'Bernische Höhenklinik, CH 3625 Heiligenschwendi'.

25-0269.05   ISBN 90 274 6358 1   NUGI 753

Inhoud

Hoofdstuk 4
Nadere informatie over astma

Hoofdstuk 5
Meer over chronische bronchitis en emfyseem

neer van chronische astmatische bronchitis en wanneer
van astmatische bronchitis?

Hoofdstuk 6
Astma bij kinderen

Hoofdstuk 7

Klachten en gevolgen van astma bij volwassenen

60 Op welke manier wordt een volwassene met zijn astma geconfronteerd?

61 Waarom piepen mensen met astma, chronische bronchitis en emfyseem?

62 Wat wordt verstaan onder een 'status astmaticus' en hoe komt iemand in zo'n toestand?

63 Waarom hebben astmapatiënten 's nachts en 's morgens vroeg nogal eens last van piepen, hoesten of benauwdheid?

64 Kunnen de problemen die 's nachts en 's morgens vroeg optreden, worden voorkomen?

Hoofdstuk 8

Klachten en gevolgen van chronische bronchitis en emfyseem

65 Welke verschijnselen duiden op chronische bronchitis en welke op emfyseem?

66 Waarom komt een patiënt met chronische bronchitis of emfyseem 's morgens vroeg zo langzaam op gang?

67 Waarom vermageren sommige emfyseempatiënten? Waar duidt dat op?

Hoofdstuk 9

Astma, chronische bronchitis, emfyseem en luchtweginfecties

68 Levert griep echt zoveel problemen op voor CARA-patiënten?

69 Waarom nemen de luchtwegklachten bij astma- en chronische-bronchitispatiënten toe tijdens griep?

70 Waarom heb ik nadat ik griep heb gehad nog een aantal weken last van hoesten en benauwdheid bij hardlopen?

71 Wat kan ik zelf doen om te voorkomen dat ik door griep en verkoudheid meer klachten krijg?

72 Wie komen voor een griepvaccinatie in aanmerking en waarom? Wat zijn de bijwerkingen?

73 Wat zijn bacteriële luchtweginfecties? Wat zijn de verschijnselen en waaruit bestaat de behandeling?

74 Is CARA besmettelijk?

Voorwoord

Bij de vijfde druk

Waarom opnieuw een boek toevoegen aan de stapel boeken die er over CARA zijn geschreven? Er zwerven immers alleen al 60.000 exemplaren van *Honderd vragen over CARA* door Nederland. Veel astmapatiënten, mensen met chronische bronchitis en emfyseem, hun familieleden, vrienden, collegae en andere geïnteresseerden hebben in de afgelopen jaren datgene uit hun *Honderd vragen*-boekje kunnen pikken, wat op hen van toepassing was. Maar de tijden veranderen en dat heeft tot gevolg dat het bestaande boek is verouderd.
De medische wetenschap staat niet stil, zoals blijkt uit het volgende:
• Er zijn in 1992 nieuwe richtlijnen voor de behandeling van astma opgesteld. Ook is beschreven wat daarmee te bereiken is.
• We beschikken sinds 1992 over geneesmiddelen die twaalf uur lang voorkómen dat luchtwegen zich vernauwen (langwerkende luchtwegverwijders, vraag 100 en 106). Ook op het gebied van luchtwegbeschermende middelen zijn vorderingen gemaakt (vraag 105). Specifiek voor kinderen ontwikkelde voorzetkamers bieden betere mogelijkheden om ook hen in een vroeger stadium beter te behandelen (vraag 114).
• Het wordt steeds duidelijker dat patiënten meer profijt van hun behandeling kunnen hebben als ze ook daadwerkelijk bij de behandeling worden betrokken en weten hoe ze met hun kwaal en de beschikbare medicijnen moeten omgaan. Dat betekent dat ze ook moeten weten waardoor hun klachten worden veroorzaakt, waarvoor hun medicijnen dienen, wat de bijwerkingen kunnen zijn, hoe ze moeten worden gebruikt en wanneer. En daar schort het nog steeds aan.

Voor het merendeel van de mensen met een lichte of matige vorm van astma, moet het mogelijk zijn om een normaal leven te leiden. De doelstellingen die met de huidige richtlijnen worden nagestreefd, zijn dan ook:
– Het vrij blijven van klachten, zowel overdag als 's nachts.
– Het probleemloos en zonder beperkingen kunnen uitvoe-

ren van de dagelijkse bezigheden, dus ook geen klachten hebben bij het uitoefenen van sport, bij zware inspanning of op vakantie.
– Het achterwege blijven van acute aanvallen.
– Het zo goed mogelijk functioneren van de longen, nu en in de toekomst.

Voor mensen met een ernstige vorm van astma zijn deze doelstellingen moeilijker te bereiken of slechts gedeeltelijk te realiseren. Maar ook voor hen zijn nog heel wat winstpunten te behalen door een juist gebruik van de nieuwere medicijnen, door zelf op de hoogte te zijn wanneer en hoe de behandeling moet worden aangepast en door op tijd maatregelen te nemen als het niet helemaal goed gaat. Dit geldt ook voor patiënten met chronische bronchitis of emfyseem.

De opzet van deze nieuwe uitgave is dezelfde als in de vorige drukken. Dat is volgens velen ook de kracht van het boek.
• In een algemeen hoofdstuk worden de bouw en de functie van de longen uiteengezet. Het hoofdstuk dient als achtergrondinformatie bij de antwoorden op de vragen. Het is dan ook verstandig om dit hoofdstuk eens op een rustig moment door te lezen.
• Daarna volgen 120 vragen en de antwoorden erop. Twintig vragen meer dan in de vorige drukken als gevolg van de nieuwe ontwikkelingen in de laatste jaren, met name op het gebied van astma en chronische bronchitis. Maar ook voor emfyseempatiënten is nieuws te melden.
De indeling is hetzelfde gebleven. Enkele vragen zijn vervangen door nieuwe. De antwoorden op veel andere vragen zijn bijgesteld volgens de laatste opvattingen en richtlijnen en de antwoorden op vragen over medicijnen zijn bijna geheel herschreven.
• Ten slotte volgt een verklarende woordenlijst.

Een goed advies: Lees het boek niet van voren naar achteren door, maar blader er eerst eens doorheen en probeer eruit te halen wat op u van toepassing is. Daarnaast zult u veel andere informatie tegenkomen waarmee u misschien ook uw voordeel kunt doen.
Veel succes.

Bij de zesde druk

De zesde druk verschilt in enkele opzichten van de vijfde. Op de eerste plaats vroeg de tekst hier en daar om bijstelling. Enkele antwoorden zijn in wat makkelijker en hier en daar kortere bewoordingen gesteld, hetgeen de leesbaarheid ten goede is gekomen.

Op de tweede plaats waren hier en daar inhoudelijke aanpassingen noodzakelijk. De belangrijkste daarvan zijn:

• In vraag 48, die gaat over het probleem of een kind zijn hele leven astma zal houden, zijn enkele gegevens van recente studies verwerkt.

• In vraag 86 wordt naar aanleiding van de enkele artikelen in het juni-nummer van het door het Astma Fonds uitgegeven blad *Contrastma* (jaargang 1994) dieper ingegaan op het nut van de aanschaf van mijtwerende hoezen voor hoofdkussens en matrassen. Tevens worden enkele woorden gewijd aan thuiszorg-, sanatie- en allergiewinkels.

• In de vragen 104 en 114 komt de nieuwe inhalatie-voorzetkamer voor kinderen in de leeftijd van 0 tot 4 jaar aan de orde.

• In het hoofdstukje inhaleren wordt bovendien een antwoord gegeven op de vraag: 'Hoe kan ik controleren hoeveel medicijn zich nog in mijn spuitbusje bevindt' (vraag 115).

• Ook op het gebied van de medicijnen is belangrijk nieuws te melden.

– De in 1992 geïntroduceerde langwerkende luchtwegverwijders zijn beide in het behandelschema van kinderen opgenomen.

– Op het gebied van inhalatiesteroïden zijn belangrijke vorderingen gemaakt: sinds medio 1994 is een nieuw inhalatiesteroïd op de markt. Meer hierover vindt u in de vragen 49, 104, 105, 107 en 111.

• De literatuurlijst is uitgebreid.

• In de adressenlijst zijn de adressen van sanatie-, allergie- en thuiszorgwinkels opgenomen.

• Ten slotte is op veler verzoek een register toegevoegd, waardoor het opzoeken van woorden en onderwerpen wordt vergemakkelijkt.

Bij de zevende druk

De zevende druk verschilt slechts in details van de zesde. Op enkele plaatsen werd de tekst bijgesteld om de leesbaarheid te vergroten. In de vragen over hooikoorts en voedselallergie werden de nieuwste inzichten en ontwikkelingen verwerkt. In het hoofdstuk 'Onderzoek en diagnose' werd een lijst vragen opgenomen, zoals deze gewoonlijk door de arts worden gesteld als er astma, chronische bronchitis of emfyseem wordt vermoed. Tenslotte werd het trefwoordenregister sterk uitgebreid.

Bij de achtste druk
Aan de achtste druk is opnieuw de nodige aandacht besteed om de leesbaarheid van het boek te vergroten. In dit kader is onder andere gekozen voor een ander lettertype. Verder zijn enkele figuren meer in de tekst geïntegreerd en enkele nieuwe illustraties toegevoegd.
Opnieuw waren inhoudelijke bijstellingen nodig. Het is hier niet de plaats om die in detail te bespreken. Belangrijk zijn de nieuwe inzichten met betrekking tot de vraag in hoeverre kinderen met luchtwegklachten de kans lopen om astma te ontwikkelen. Met betrekking tot de medicatie is ervoor gekozen naast de merknamen ook generieke namen te vermelden.
Verder zijn de vragen over inhalatie (nieuwe inhalator, nieuwe inzichten over het gebruik van voorzetkamers) bijgesteld.

HOOFDSTUK 1

Bouw en functie van de longen
Achtergrondinformatie over astma, chronische bronchitis en emfyseem

Functie van de longen

Ons lichaam bestaat uit miljoenen cellen, die goed op elkaar afgestemd moeten functioneren. Evenals een motor vragen deze cellen om brandstof. Die brandstof krijgen ze in de vorm van koolhydraten, vetten en eiwitten. Door ons spijsverteringssysteem worden deze bouwstenen tot hapklare brokjes verwerkt en via het bloed naar de cellen getransporteerd. Daarnaast vraagt een motor om voldoende luchttoevoer en afvoer van uitlaatgassen. Dit geldt ook voor ons lichaam. De longen en de ademhalingsspieren zorgen ervoor dat het lichaam van voldoende zuurstof wordt voorzien. Via de bloedsomloop bereikt het de lichaamscellen. Hier vindt de verbranding plaats, waardoor energie vrijkomt en waardoor we ons kunnen bewegen, onze hersenen kunnen werken, ons hart kan kloppen, kortom... we kunnen leven. Bij de verbranding in de cellen komt koolzuur vrij. Dit gas wordt door het bloed naar de longen getransporteerd zodat we het kunnen uitademen(zie fig. 1).

Bouw van de luchtwegen

De luchtwegen hebben een structuur die vergeleken kan worden met een omgekeerde boom.

De grootste luchtpijp, de 'stam', vertakt zich in twee hoofdtakken: een voor de rechter- en een voor de linkerlong. Deze splitsen zich weer in kleinere luchtwegen. Hun doorsnede neemt naar onderen toe geleidelijk af, tot minder dan 2 mm (zie fig. 2).

De kleinste luchtwegen (zie fig. 3) monden ten slotte uit in longblaasjes. Zij staan in nauw contact met bloedvaatjes. Hun wandjes zijn zo dun, dat ze zonder problemen zuurstof en koolzuur doorlaten. Langs deze weg wordt het zuurstof uit de longen aan de bloedvaatjes afgegeven en komt het afgewerkte koolzuur vanuit het bloed in de longen. In figuur 4 is dit schematisch weergegeven.

De trilhaarcellen en slijmcellen

Als we een van de luchtwegen in de lengte opensnijden dan zien we een slijmlaag waarmee de luchtwegen bedekt zijn.

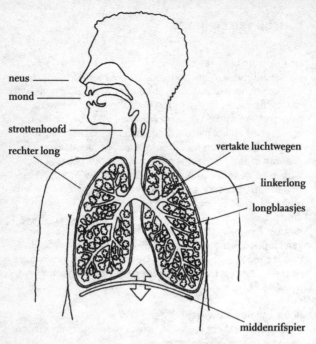

neus

mond

strottenhoofd

rechter long

vertakte luchtwegen

linkerlong

longblaasjes

middenrifspier

Figuur 1. *Aanvoer van zuurstof en afvoer van koolzuur.*

In de buitenlucht bevindt zich zuurstof. Deze moet bij de lichaamscellen gebracht worden. De zuurstof legt een ingewikkelde weg af om bij deze cellen te komen. Eerst passeert het de bovenste luchtwegen. Hiertoe behoren de neus (plus bijneusholten) en de keelholte. De neus verwarmt de lucht en filtert een groot aantal stofjes en andere kleine deeltjes uit. Via de keelholte wordt het strottenhoofd bereikt. Daarin bevinden zich de stembanden. Daaronder beginnen de onderste luchtwegen in de vorm van de grote luchtpijp, die zich vervolgens vertakt in twee hoofdwegen: een naar de linker- en een naar de rechterlong. Deze splitsen zich zoals een boom in vele takken (bronchi) en takjes (bronchioli) en monden ten slotte uit in blind-eindigende zakjes, de longblaasjes. Deze staan in zeer nauw contact met talloze bloedvaatjes die zich rondom deze longblaasjes bevinden. Zowel de longblaasjes als deze bloedvaatjes hebben een uitermate dunne wand, zodat de zuurstof en het koolzuur deze ongehinderd kunnen passeren.

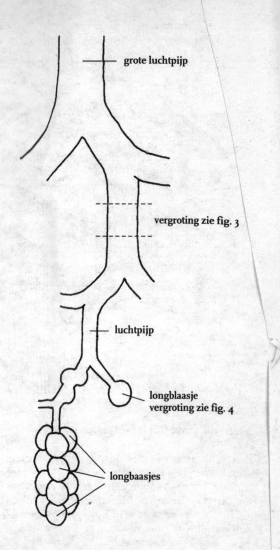

grote luchtpijp

vergroting zie fig. 3

luchtpijp

longblaasje
vergroting zie fig. 4

longbaasjes

Figuur 2. *Schematische voorstelling van de onderste luchtwegen.* De luchtwegen vertakken zich vele malen en eindigen ten slotte in longblaasjes.

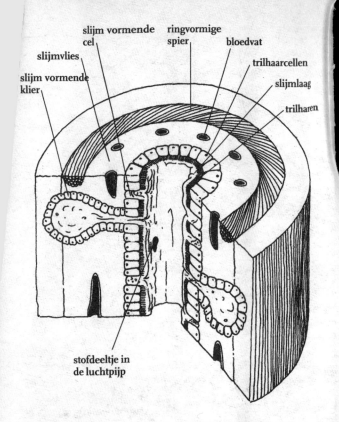

slijm vormende cel

ringvormige spier

bloedvat

trilhaarcellen

slijmlaag

trilharen

slijmvlies

slijm vormende klier

stofdeeltje in de luchtpijp

Figuur 3. *Lengtedoorsnede van een van de kleinere luchtwegen.*

We zien trilhaarcellen die de binnenbekleding vormen, en cellen en klieren die slijm maken. Verder zien we spieren die de luchtwegen zowel kunnen laten samentrekken als wijder maken. Direct onder de laag trilhaarcellen ziet u talloze bloedvaatjes. De binnenzijde van de luchtwegwand is bekleed met een dun laagje slijm. Deze slijmlaag ligt op trilhaartjes die zich op de kopjes van de zogenoemde trilhaarcellen bevinden. Deze cellen 'betegelen' als het ware de luchtweg aan de binnenzijde en vormen, samen met de slijmlaag, een goede barrière tegen allerlei indringers.
In figuur 3 is een en ander weergegeven.

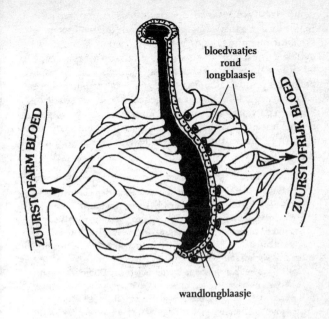

bloedvaatjes
rond
longblaasje

ZUURSTOFARM BLOED

ZUURSTOFRIJK BLOED

wandlongblaasje

Figuur 4. *Longblaasjes in nauw contact met bloedvaatjes.* Hier vindt de uitwisseling van zuurstof en koolzuur tussen de longen en de bloedsomloop plaats. Zuurstof en koolzuur kunnen zonder moeite de dunne wandjes van het longblaasje en de daar tegenaanliggende bloedvaatjes passeren.

Kruipen we dieper de luchtwegen in, dan komen we tenslotte in de longblaasjes. Figuur 4 laat een longblaasje zien dat als het ware 'ingepakt' is door bloedvaatjes om de uitwisseling van zuurstof en koolzuur zo goed mogelijk te laten verlopen. Wanneer u nog eens goed naar figuur 3 kijkt, zal het u duidelijk zijn. Het slijm wordt geproduceerd door cellen en klieren – een soort slijmfabriekjes dus – die zich in de wand van de luchtwegen bevinden. Zo onstaat er een 'slijmtapijt' op de trilhaartjes. Deze staan niet, zoals hun naam doet vermoeden, te trillen, maar ze slaan met een snelle slag tegen de onderkant van die slijmlaag in de richting van de mond. Dan volgt er een langzame slag terug en komt opnieuw een snelle slag. Dat gaat dag en nacht door. Vergelijk het maar met een lopende-bandsysteem, waarvan de slijmlaag de band vormt en de motor uit een aantal op hun rug liggende duizendpoten bestaat, die met hun pootjes loopbewegingen maken. Ze houden de slijmlaag in beweging en brengen op die manier allerlei stofjes, bacteriën en andere ongerechtigheden, die we hebben ingeademd en door het slijm zijn gevangen, naar boven. De slijmlaag schuift dus in zijn geheel steeds een stukje op. Slijm en datgene wat daarin is gevangen komen vervolgens in de keel terecht, waar het op een gegeven moment wordt ingeslikt. In de maag wordt het ten slotte door het maagzuur verteerd.

Bij astmapatiënten en mensen met een chronische bronchitis en emfyseem, werkt dit lopende-bandsysteem wat trager. Tijdens een astma-aanval ligt het tijdelijk zelfs zo goed als stil. Als dan bovendien meer slijm wordt geproduceerd, is er maar één mogelijkheid om dit uit de luchtwegen te krijgen: hoesten... soms heel hardnekkig hoesten.

Ook rokers hebben 'lopende-bandproblemen'. Door sigarettenrook gaan de trilhaarcellen kapot en werkt het systeem niet meer. Bovendien wordt een groot deel van deze trilhaarcellen omgebouwd tot slijmcellen. Het gevolg is dat er veel meer slijm wordt gemaakt. En omdat het transportsysteem steeds verder wordt afgebroken door het roken van sigaretten is hoesten de enige manier om het slijm uit de luchtwegen te krijgen. De hoestklachten kunnen vooral 's morgens vroeg hardnekkig zijn omdat het slijm zich in de nacht in de luchtwegen heeft kunnen ophopen (zie fig. 5d). Dit wordt ook wel 'rokershoest' genoemd.

De luchtwegspiertjes

Rondom de luchtweg bevinden zich cirkel- en spiraalvormige spiertjes. Spannen deze zich aan, dan worden de luchtwegen nauwer; ontspannen ze zich, dan worden ze wijder. Als we een kijkje in de luchtwegen nemen van astmapatiënten die piepen of benauwd zijn, dan kunnen we zien dat ze vernauwd zijn. Het lijkt wel of ze door een band worden dichtgesnoerd. Hoe komt dat?

De luchtwegen beschikken over een soort 'snuffelpaaltjes' of 'voelsprieten' die tussen de trilhaarcellen in zitten. Ze onderzoeken hiermee de kwaliteit van de ingeademde lucht en seinen deze gegevens via het centrale zenuwstelsel door aan de luchtwegspiertjes. Deze trekken zich dan bij onraad samen. Als we bijvoorbeeld in de winter hele koude lucht inademen, lijkt de adem te worden afgesneden, het ademen gaat moeilijker. Dat is dan het werk van de ringvormige spiertjes die opdracht krijgen om zich samen te trekken. Zo maken de luchtwegen zich nauwer. Dit is een natuurlijk afweermechanisme dat de luchtwegen moet beschermen. Hetzelfde gebeurt als we sigarettenrook of andere schadelijke gassen of dampen inademen.

Voor astmapatiënten worden de luchtwegspiertjes soms vijanden, hoewel ze eigenlijk hun vrienden zouden moeten zijn. Ze trekken zich namelijk veel te snel en te sterk samen (vergelijk fig. 5a met fig. 5b).

Verdedigingscellen

Wist u dat een volwassene per 24 uur 10.000 tot 20.000 liter lucht kan in- en uitademen. Hierin zit van alles wat niet goed is voor de longen. Zoals we gezien hebben worden schadelijke gassen en dampen door 'de snuffelpaaltjes' geregistreerd. Maar de longen hebben nog een ander signalerings- en verdedigingssysteem. Dat bestaat uit verschillende celsoorten. Deze werken intensief met elkaar samen. Hoe gaat dat in zijn werk?

Om te beginnen 'patrouilleren' bij iedereen bepaalde cellen in de luchtwegen, die allerlei schadelijke indringers, zoals bacteriën en virussen kunnen herkennen. Om deze onschadelijk te maken, roepen ze de zogenaamde witte bloedcellen op, die ons lichaam moeten verdedigen. Ze bevinden zich in de bloedbaan en zijn steeds op afroep beschikbaar. In figuur 4 ziet u dat onder de trilhaarcellen bloedvaatjes lopen. Langs deze weg worden niet alleen voedsel en zuurstof aangevoerd, maar ook afweercellen.

Waar ze nodig zijn kruipen ze – net zoals pantoffeldiertjes – op de plaats des onheils uit de bloedvaatjes en gaan dan de strijd aan met de indringers met de bedoeling ze onschadelijk te maken. We noemen dit een ontsteking. Zo kan bijvoorbeeld een longontsteking ontstaan.

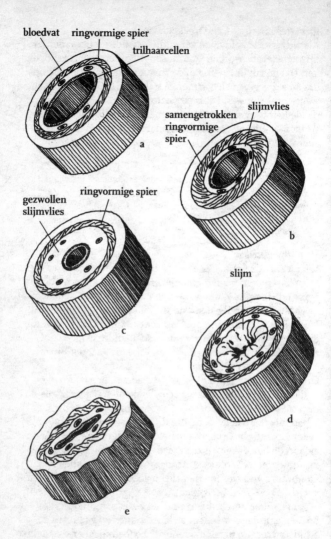

Figuur 5. *Waardoor ontstaat benauwdheid?* a: normale luchtweg; b: ver-nauwde luchtweg door samentrekking van de luchtwegspiertjes; c: ver-nauwde luchtweg door zwelling van de luchtwegwand; d: verstopte luchtweg tengevolge van overmatig slijm; e: samengeklapte luchtweg door verlies van elasticiteit van het ophangsysteem (emfyseem).

Afweerreacties bij astmatische patiënten

Bij allergische astmapatiënten binden de afweercellen, waar we zojuist mee hebben kennisgemaakt, niet alleen de strijd aan met virussen en bacteriën, maar tegen nog veel meer andersoortige indringers. Ze gaan zelfs de op zich onschuldige stofjes zoals stuifmeel en schilfertjes van huisdieren te lijf. Hier ligt nu juist het probleem waar het bij allergische patiënten om draait. Ze reageren hierop anders dan anders. Allergie betekent dan ook letterlijk 'anders reageren'.

Zo verdedigen ze niet alleen de luchtwegen, maar ook de neus, ogen en huid van allergische mensen tegen stuifmeel of schilfertjes van huisdieren zoals katten, cavia's, muizen, paarden en ook tegen de uitwerpselen van de huisstofmijten, die we met stof dat in de lucht rondzweeft, inademen. Andere allergische stofjes zijn bijvoorbeeld: veren, kapok, wol en schimmels.

Ook het verdedigingsproces tegen deze onschuldige stofjes noemen we 'ontsteking'. Het gaat gepaard met het opzwellen van de luchtwegen, doordat de bloedvaten meer vocht uitzweten. Er is meer slijmvorming en de luchtwegspiertjes trekken zich samen (zie fig. 5).

Het zal duidelijk zijn dat astmapatiënten hierdoor minder lucht binnen kunnen krijgen: ze worden benauwd.

Soortgelijke ontstekingsprocessen kunnen ook worden veroorzaakt door verontreinigde lucht, ozon, griepvirussen en sigarettenrook.

Er gebeurt echter nog meer in de luchtwegen van astma- en chronische-bronchitispatiënten. We zien dat de mooie rij trilhaarcelletjes, die de luchtwegen aan de binnenkant betegelen, sneuvelen door het gevecht dat in de luchtwegen geleverd wordt. Daardoor kunnen ze hun beschermende taak niet meer vervullen en wordt het voor allerlei indringers mogelijk om de luchtwegwand binnen te dringen. Prikkelende stoffen en allergische deeltjes veroorzaken zo opnieuw ontstekingsprocessen en irriteren daardoor steeds meer de luchtwegen. Zo ontstaat een vicieuze cirkel, waar we slechts uit kunnen komen als we de prikkelende en allergische stoffen zoveel mogelijk ontlopen en medicijnen nemen die het ontstekingsproces de kop indrukken (zie vraag 105).

We kunnen rustig stellen dat ontstekingsprocessen van de luchtwegen het belangrijkste probleem bij astma en chronische bronchitis vormen. De luchtwegen worden daardoor niet alleen vernauwd, maar ook extra gevoelig en reageren als gevolg hiervan
sterker dan we zouden verwachten op parfums, koude lucht,
weersinvloeden, inspanning en emoties.

Mensen met hele gevoelige luchtwegen kunnen zelfs door
een lachbui een astma-aanval krijgen. Dokters noemen dergelijke overgevoelige luchtwegen hyperreactief. Bovendien bestaan er sterke aanwijzingen dat de luchtwegen door langdurig bestaande ontstekingsprocessen onherstelbare beschadigingen kunnen oplopen.

Niet allergisch en toch astma
Ten slotte kennen we het probleem, dat sommige mensen
niet allergisch zijn en toch astma hebben. Ook zij hebben ontstoken en overgevoelige luchtwegen; vaak zelfs in ernstiger
mate dan de allergische astmapatiënten. Meestal is het niet,
of veel minder duidelijk, waardoor de ontstekingsprocessen
worden veroorzaakt en op gang gehouden. Griepvirussen vormen een van de weinige bekende 'uitlokkers'.

Nogmaals 'astma in het kort'
Er zijn drie belangrijke oorzaken voor een luchtwegvernauwing bij astmapatiënten:
• het aanspannen van de luchtwegspiertjes (zie fig. 5b);
• het opzwellen van de luchtwegwand (zie fig. 5c);
• overmatige slijmvorming (zie fig. 5d).
Alle drie vormen ze onderdeel van het ontstekingsproces van
de luchtwegen dat we astma noemen. De luchtwegen worden
hierdoor niet alleen vernauwd, maar ook extra gevoelig, waardoor ze op allerlei prikkels veel sterker reageren dan bij mensen die geen astma hebben. Langdurig bestaande ontstekingsprocessen kunnen onherstelbare schade aan de luchtwegen veroorzaken.
Voor chronische bronchitis geldt min of meer hetzelfde,
maar daarbij is meer aan de hand.

Afweerreacties bij chronische bronchitis en emfyseem

Bij chronische bronchitis en emfyseem spelen soortgelijke afweerproblemen een rol als bij astma. Ook bij deze ziektebeelden zijn de luchtwegen ontstoken en gezwollen. Bovendien wordt er meer slijm gemaakt. Naarmate de aandoening langer bestaat, zien we dat meer luchtwegen blijvend zijn beschadigd of zelfs afgesloten zijn door littekenweefsel.

Ook bij sigarettenrokers komen afweercellen in actie. Ze gaan de rook te lijf, maar moeten dat vaak met hun eigen ondergang bekopen. Ze vallen uit elkaar en daarbij komen chemische stofjes vrij die de elastische vezels waarin de kleinere luchtwegen zijn opgehangen, aantasten. Deze verzwakken en

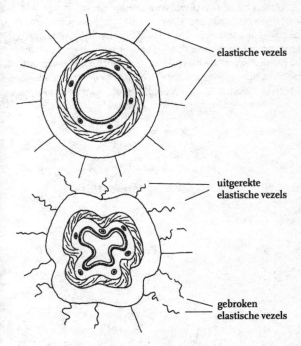

elastische vezels

uitgerekte elastische vezels

gebroken elastische vezels

Figuur 6. *De rek uit de longen, wat is dat?* a: De luchtwegen zijn opgehangen in een netwerk van elastische vezels. b: Bij emfyseem zijn de elastische vezels uitgerekt of gebroken. De slappe luchtweg wordt vooral bij uitademen dichtgedrukt (rek uit de longen).

breken door, waardoor de luchtwegen hun stevigheid verliezen. In de volksmond heet dit 'de rek is uit de longen'. De
luchtwegen hangen dan als 'slappe pijpjes' in hun uitgerekte
en slap geworden steunweefsel. Daardoor laten ze veel minder gemakkelijk lucht door (zie fig. 6b). Hoe sneller mensen
met dergelijke problemen willen lopen, des te sterker worden
ze belemmerd in hun ademhaling. Ze kunnen door het gekronkeld verloop van de luchtwegen immers moeilijker inademen en kunnen bovendien hun afgewerkte lucht niet
kwijt. Want bij het uitademen klappen de slappe en gedraaide
luchtwegen nog verder dicht, zodat er weing of geen lucht
meer doorheen kan.

Bovendien breken de chemische stoffen, die uit de beschadigde of dode afweercellen vrijkomen, de longblaasjes af. Doordat zowel de luchtwegen minder doorgankelijk zijn en de tus-
senwandjes van de longblaasjes voor een belangrijk deel zijn
verdwenen, wordt de toevoer van zuurstof en de afvoer van
koolzuur bij emfyseempatiënten enorm beperkt met alle gevolgen van dien: kortademigheid, vooral bij lopen of andere
vormen van inspanning, en vermoeidheid.

De ademhaling

Om zuurstof vanuit de lucht in de longblaasjes te krijgen moeten we letterlijk 'ademhalen'. Dit doen we door middel van de inademing. Daartoe beschikken we over de zogenoemde 'ademhalingspomp'. Die wordt gevormd door de ademhalingsspieren. Het middenrif, dat de scheiding tussen borst- en buikholte vormt, is de belangrijkste ademhalingsspier. Hij levert 60 tot 70% van de arbeid die nodig is om te ademen.

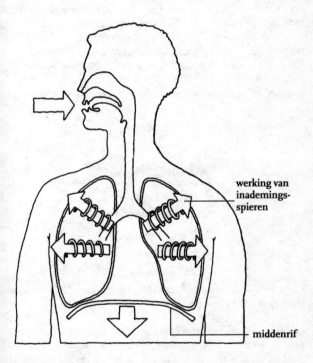

werking van
inademings-
spieren

middenrif

Figuur 7. *De inademing.* Tijdens de inademing wordt de borstkas ruimer doordat het middenrif zich samentrekt en daardoor platter wordt. Zo ontstaat een onderdruk en wordt lucht de longen in gezogen. De tussenribspieren ondersteunen de adembewegingen.

Daarnaast hebben we tussenribspieren die het middenrif bij het ademhalen helpen (zie fig. 7). Als de spieren van het middenrif – ook wel diafragma genoemd – ontspannen zijn, neemt dit de vorm van een koepel aan.

De inademing

Door zich samen te trekken wordt het middenrif platter. Hierdoor en door de werking van de tussenribspieren vormt zich als het ware een onderdruk in de borstholte en stroomt er buitenlucht de luchtwegen binnen in de richting van de longblaasjes. Hier vindt uiteindelijk de uitwisseling van zuurstof en koolzuur plaats. Als de spieren van het middenrif zich ontspannen ontstaat weer de koepelvorm. De lucht verplaatst zich dan van binnen naar buiten: de uitademing.

De borstkas wordt door de inademingsbeweging ruimer. Daardoor wordt harder getrokken aan de elastische vezeltjes, waaraan de luchtwegen zijn opgehangen (zie fig. 8). Dat verklaart waarom ze tijdens het inademen wijder worden.

Figuur 8. *Dwarsdoorsnede van een luchtpijp bij inademing.* Bij het inademen worden de luchtwegen wijder.

Leveren we topprestaties, bijvoorbeeld bij hardlopen, dan wordt er meer zuurstof gevraagd. Bovendien komt daarbij veel koolzuur vrij. Om meer zuurstof aan te voeren en het koolzuur snel uit het lichaam te verwijderen, worden de luchtwegen wijder en moeten we sneller en krachtiger in- en uitademen. Met de hulpademhalingsspieren – bepaalde hals- en schouderspieren – kan de 'ademhalingspomp' worden versterkt.

De hulpademhalingsspieren
Ook bij een astma-aanval ondersteunen de hulpademhalingsspieren de ademhaling. Dan moeten immers ook topprestaties
worden geleverd, want tijdens een heftige astma-aanval vraagt
het ademhalen vaak meer dan 50% van de totale hoeveelheid
zuurstof die we binnen krijgen, terwijl voor rustig ademen slechts
3% nodig is.
Ook chronische-bronchitis- en emfyseempatiënten gebruiken
meer energie bij het ademhalen. Dat kan bij rustig ademen wel 10
tot 15% hoger zijn dan normaal. Dan blijft er natuurlijk voor andere activiteiten, zoals lopen, sporten en bij ernstige benauwdheid
zelfs voor praten niet veel energie meer over.
Mensen bij wie zich vaak ernstige aanvallen voordoen of bij wie
het ademhalen veel moeite kost, zoals bij ernstige vormen van
chronische-bronchitis- en emfyseempatiënten het geval is, staan
vaak wat voorovergebogen met hoge en opgetrokken schouders.
Dat komt door het voortdurend gebruik van hun hulpademhalingsspieren.

De uitademing
Bij de uitademing hoeven we niets anders te doen dan de
ademhalingsspieren te ontspannen, waardoor de borstholte
kleiner wordt en de afgewerkte lucht uit de longen stroomt
(zie fig. 9).
Bij de uitademing nemen de ademhalingsspieren hun rust-
stand weer aan. Daardoor worden de luchtwegen, die bij het
inademen wijder waren, bij het uitademen wat nauwer. Er
wordt immers minder hard getrokken aan de elastische vezeltjes die de luchtwegen voor een belangrijk deel openhouden.
Dit hindert onder normale omstandigheden het uitademen
niet (zie fig. 10).

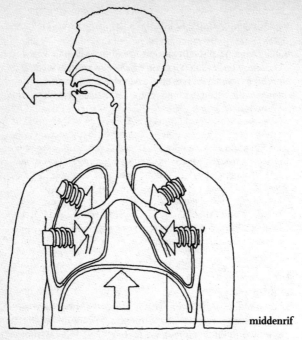

Figuur 9. De uitademing verloopt passief. Door het middenrif en de tussenribspieren te ontspannen wordt de borstholte kleiner. De lucht stroomt uit de longen. Duidelijk is te zien dat de luchtwegen nauwer zijn dan bij inademing.

Figuur 10. *Dwarsdoorsnede van een luchtweg bij uitademen.* Tijdens de uitademing worden de luchtwegen nauwer. Dit hindert onder normale omstandigheden de uitademing niet.

Samenvatting

1. *Bij astmapatiënten functioneren de luchtwegen af en toe niet
goed.*
Dit kan het gevolg zijn van een verstoorde functie van de verschillende onderdelen van de luchtwegwand: de luchtwegspiertjes trekken zich te snel en te sterk samen (zie fig. 5b), de
bloedvaatjes zweten te veel vocht uit waardoor de luchtwegwand opzwelt (zie fig. 5c), of de slijmvormende klieren maken te veel slijm (zie fig. 5d), .
Meestal spelen een of meer van deze factoren een rol, soms
de ene keer wat sterker dan de andere, nu eens met klachten
en dan weer niet. Als bij astma de prikkels die deze functie-
verstoring veroorzaken, zijn weggenomen, functioneren de
luchtwegspiertjes, de slijmkliertjes en bloedvaatjes weer normaal (zie fig. 5a). Hun functie kan ook met medicijnen worden hersteld.

2. *Bij chronische-bronchitis- en emfyseempatiënten hebben de
luchtwegen en de longblaasjes in de loop van het leven beschadigingen opgelopen, die niet meer te herstellen zijn.*
Bovendien kunnen de elastische steunvezels, waarin de luchtwegen zijn opgehangen, slapper worden of breken, waardoor
de luchtwegen hun stabiliteit verliezen. Daardoor kunnen ze
met name tijdens het uitademen dichtgedrukt worden (zie
fig. 5e en 6b). Ze krijgen bovendien een gekronkeld verloop,
waardoor het ademhalen veel meer moeite kost. Ook de schade die aan de longblaasjes is toegebracht is onherstelbaar.

3. *Een combinatie van functiestoornissen en onherstelbare beschadiging is ook mogelijk.*
Bij lichte vormen van astma functioneren de luchtwegen
maar af en toe niet zoals het moet. Bij ernstig emfyseem is
veel schade aan de longen toegebracht. Tussen deze twee ui-
tersten zitten natuurlijk veel 'mengvormen'. Er zijn nogal wat
mensen die zowel kenmerken van astma als chronische bronchitis hebben. We zeggen dan dat ze een (chronische) astmatische bronchitis hebben. Bij patiënten met chronische bronchitis kunnen we ook symptomen van emfyseem vinden.

HOOFDSTUK 2

Nadere uitleg van de term CARA

1

Wat betekent CARA?

CARA is de afkorting van de woorden Chronische Aspecifieke Respiratoire Aandoeningen. De term CARA is een verzamelnaam voor drie chronische aandoeningen van de luchtwegen die worden gekenmerkt door benauwdheid, hoesten en overmatig slijm opgeven. Deze verschijnselen kunnen gezamenlijk voorkomen maar ze kunnen ook – elk afzonderlijk – de enige CARA-klacht vormen. Met de term CARA, die in de jaren zestig werd ingevoerd, werden astma (zie vraag 17), chronische bronchitis (zie vraag 35) en longemfyseem (zie vraag 41) als het ware onder één paraplu gebracht.

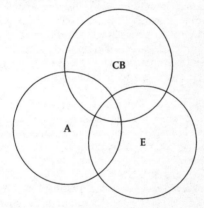

Figuur 11. *Astma, chronische bronchitis en emfyseem vertonen onderling veel overlap.* Dat betekent dat er veel mengvormen voorkomen.
A = astma
CB = chronische bronchitis
E = emfyseem

De drie aandoeningen hebben als gezamenlijk kenmerk dat de luchtwegen vernauwd zijn. Bij astma kan dit sterk wisselen, terwijl bij chronische bronchitis en emfyseem de luchtwegvernauwing meer een chronisch karakter heeft: de klachten treden dagelijks op of op de meeste dagen van het jaar, afhankelijk van de ernst van de aandoening.

Met de term CARA wordt aangegeven dat astma, chronische

bronchitis en emfyseem in grote lijnen gemeenschappelijke kenmerken hebben:
– Ze zijn *chronisch*: veel patiënten hebben jarenlang klachten, sommigen zelfs levenslang.
– Ze zijn *aspecifiek*: dat betekent dat een duidelijke oorzaak voor de aandoeningen niet is aan te wijzen. Het zijn bijvoorbeeld geen ziekten die worden veroorzaakt door een bacterie zoals bij tuberculose het geval is. Ze zijn ook niet het gevolg van een of ander virus of van longkanker.
– Ze zijn *respiratoir*: hiermee wordt aangegeven dat het aandoeningen van de luchtwegen zijn.

Naast de gemeenschappelijke kenmerken hebben ze elk hun specifieke klachten. Zo is de benauwdheid bij astma vaak sterk wisselend. Chronische bronchitis kenmerkt zich vooral door hoesten en slijm opgeven, maar ook benauwdheid kan voorkomen, en – in tegenstelling tot astma – treden kortademigheidsklachten veelal dagelijks op. Met name ernstige emfyseempatiënten kampen dagelijks bij de minste of geringste inspanning met een tekort aan lucht.

In de praktijk is er een sterke overlap tussen de drie aandoeningen en is de grens tussen astma en chronische bronchitis en die tussen bronchitis en emfyseem moeilijk aan te geven. Er zijn nogal wat patiënten die kenmerken van meer aandoeningen hebben.
Combinatievormen van astma en chronische bronchitis worden wel aangeduid met (chronische) astmatische bronchitis. De laatste tijd gaan er steeds meer stemmen op om de term CARA niet meer te gebruiken en onderscheid te maken tussen astma enerzijds en chronische bronchitis en emfyseem anderzijds. Deze beide laatste ziektebeelden vertonen in de praktijk een nog sterkere overlap dan astma en chronische bronchitis en worden daarom samen ondergebracht onder de term: chronisch obstructief longlijden.

2

Hoe ziet het leven van een CARA-patiënt eruit?

Het is mogelijk als CARA-patiënt te worden geboren en als CARA-patiënt te sterven. CARA kan ook slechts een bepaalde periode van een mensenleven een rol spelen. Daarbij kunnen de klachten of symptomen van het ziekteproces voortdurend veranderen. Dit is mede afhankelijk van de levensfase van de patiënt.

• Bij astmatische baby's en peuters komt vaak overmatige slijmvorming voor die, mede door de kleine diameter van de luchtwegen, tot een hoorbare zagende ademhaling kan leiden. Hoesten kan dan het enige symptoom van astma zijn. Maar regelmatig hoesten op die leeftijd kan ook veel andere oorzaken hebben. Bij een groot deel van die kinderen worden dit soort klachten toegeschreven aan wat (te) nauwe luchtwegen. Dit speelt hun dan vooral parten als ze verkouden zijn en de luchtwegen wat meer slijm maken. Als ze wat ouder worden, hebben ze daar veel minder of helemaal geen last meer van. Men ziet dan ook bij veel kinderen van twee of drie jaar dit soort klachten vanzelf verdwijnen. Met andere woorden: ze groeien er al na hun eerste of tweede levensjaar overheen. Dat is niet het geval wanneer er astma in het spel is.

• Na het tweede of derde levensjaar veranderen de klachten wat en gaan meer de astmatische kant op: piepen en benauwdheid. Sommigen houden echter lang het hardnekkig hoesten als enig symptoom. Veel astmatische kinderen hebben 's nachts en vooral ook 's morgens vroeg veel meer klachten dan overdag. Nachtelijke hoestbuien of 's nachts benauwd wakker worden en piepen en zagen zullen ouders van astmatische kinderen maar al te goed kennen (zie ook vragen 42 t/m 47).

• Kortademigheid en piepen zijn weer meer karakteristiek voor astma van het schoolgaande kind en jonge volwassenen. Dergelijke klachten kunnen zich in wisselende mate voordoen.

• Astmatische klachten kunnen ook alleen in bepaalde seizoenen optreden. Mei, juni en juli zijn nogal eens vervelende maanden voor mensen die allergisch zijn voor pollen. Degenen die allergisch zijn voor huisstofmijten hebben vooral veel last in de herfst.

- Ongeveer de helft van de astmapatiënten groeit over hun kwaal heen. De overigen blijven er in meer of mindere mate last van houden. Soms kan het astma – nadat men jarenlang zonder klachten is geweest – opeens weer de kop op steken (zie ook vraag 47 en 48).
- Bij een aantal astmapatiënten ontwikkelt zich chronische bronchitis en emfyseem (zie de vragen 35 en 41).

Vooral astmapatiënten die roken lopen een grotere kans om dergelijke aandoeningen te krijgen. Chronische bronchitis en emfyseem zien we vooral bij sigarettenrokers, ook al hebben ze vroeger nooit astma gehad. Het jarenlang inademen van door industrieën vervuilde lucht kan hiertoe bijdragen.

De eerste tekenen van chronische bronchitis worden pas echt merkbaar rond het veertigste levensjaar. Hoesten is de belangrijkste klacht, vooral in de ochtenduren. Dit kan gepaard gaan met het opgeven van veel slijm, soms zelfs meerdere kopjes per dag.

Ontwikkelt de aandoening zich in de richting van emfyseem, dan is benauwdheid het belangrijkste probleem. Bij ernstige vormen treedt zelfs bij de minste inspanning kortademigheid op. Als de toestand verslechtert, kan dagelijks zuurstof nodig zijn. De verschijnselen van deze aandoening ontwikkelen zich meestal heel geleidelijk en het is niet verwonderlijk dat menigeen de aanvankelijke lichte kortademigheid toeschrijft aan 'Ik merk wel dat ik een dagje ouder word'. Want longen hebben zo'n enorme reserve, dat patiënten bij wie dergelijke problemen spelen daar in eerste instantie weinig of niets van merken, tenzij ze zich regelmatig flink moeten inspannen. Want door de grote reserve van de longen treden pas klachten op als de luchtwegen al aanzienlijke schade hebben opgelopen. Chronische bronchitis en vooral emfyseem kunnen dus als een dief in de nacht in iemands leven binnensluipen en daar veel schade aanrichten zonder dat de patiënt – en ook de dokter – daar erg in heeft, behalve als er tijdig onderzoek wordt gedaan.

Zowel bij patiënten met chronische bronchitis als bij die met emfyseem nemen de klachten toe naarmate er meer inspanning wordt gevraagd of als zich luchtweginfecties voordoen. Ook weersinvloeden (herfst, winter) kunnen hun toestand verslechteren.

3
Komt CARA werkelijk zoveel voor?
Wat zijn de verwachtingen voor het jaar 2005?

Schattingen over het voorkomen van CARA lopen nogal uiteen.
In 1991 werd het zogenoemde 'Toekomst Scenario voor CARA'
afgerond. Dit onderzoek richtte zich op de vraag: 'Hoe staat
het met CARA in het jaar 2005?' Daar straks meer over.
Nu eerst de gegevens die in dit rapport zijn weergegeven over
de situatie in de periode 1987-1990. We citeren enkele feiten:
- CARA komt in alle leeftijdscategorieën voor. Uit bevolkings-
onderzoek blijkt dat 950.000 tot 1.100.000 Nederlanders tot
en met de leeftijd van 65 jaar CARA hebben. Dat is 8% van deze bevolkingsgroep. Bij jonge kinderen en ouderen boven de
65 jaar ligt dit getal hoger.
- Er zijn ongeveer 457.000 CARA-patiënten bij de huisarts bekend, dat is 3% van de Nederlandse bevolking. Dat wil zeggen
dat er nog heel wat mensen met CARA-klachten rondlopen, die
niet behandeld worden of geen behandeling nodig hebben.
- CARA komt anderhalf keer zo vaak voor bij mannen als bij
vrouwen.
- Van het totale sterftecijfer in Nederland komt 11,8% van de
mannen en 4,7% van de vrouwen op rekening van CARA.
- In 1990 werd door CARA-patiënten veel gebruik gemaakt
van medische voorzieningen:
- 1.000.000 huisartsconsulten;
- 400.000 contacten met de wijkverpleegkundige;
- 400.000 specialistische consulten;
- 27.000 ziekenhuisopnamen met 450.000 verpleegdagen;
- 800.000 verpleegdagen in verpleeghuizen.

En in de toekomst:
- In de periode 1990-2005 zal het aantal bij de huisarts bekende CARA-patiënten met 17% toenemen (van 457.000 in
1990 tot 533.000 in 2005.
- Het aantal chronische-bronchitis-/emfyseempatiënten
neemt toe met 23% (van 307.000 in 1990 tot 377.000 in
2005).
- Het aantal astmapatiënten zal toenemen met 4% (van
150.000 in 1990 tot 156.000 in 2005).

4

Hoe komt het dat nog zoveel CARA-patiënten niet die behandeling krijgen die ze nodig hebben?

Daar zijn diverse verklaringen voor:
• *Onderconsultatie* De mensen gaan niet, veel te weinig of te laat met hun klachten naar de dokter en ze hebben daarvoor allerlei excuses, zoals:
'Opa hoestte altijd, ik ook, niets aan de hand. Hij is negentig geworden.'
Ook wordt vaak gezegd: 'Er is toch niets aan te doen,' of: 'Ik ga wel eens naar de dokter als ik tijd heb.'
En rokers denken vaak: 'Het zal wel van het roken komen.'

Behalve laksheid en wennen aan klachten, spelen ook andere factoren een rol. Recent wetenschappelijk onderzoek heeft aangetoond dat vooral oudere mensen veel minder goed voelen of hun luchtwegen vernauwd zijn. Als ze echt klachten krijgen, blijken hun longen al behoorlijk beschadigd te zijn. Wordt de longfunctie gemeten, dan ligt deze soms ver onder het normale niveau. Opvallend is dat ze daar zelf niet veel van hebben gemerkt. Of soms wel, maar dan hebben ze er weinig acht op geslagen.

• *Onderdiagnose* De dokter stelt niet of in een veel te laat stadium de diagnose astma, chronische bronchitis of emfyseem. Dit komt omdat het niet altijd eenvoudig is om de diagnose te stellen. Dit geldt met name voor astma bij kinderen. In Engeland is hier onderzoek naar gedaan. Het kostte ouders 15 bezoeken aan de huisarts alvorens hij of zij kon zeggen: 'Mevrouw, meneer, uw Pietje of Marietje heeft astma.'
Zo leveren ook de diagnose chronische bronchitis en, zoals we net gezien hebben, de diagnose emfyseem de nodige problemen op. Deze ziekten hebben een sluipend begin. Tijdens de eerste jaren dat de ziekte ontstaat, treden nauwelijks klachten op. Nemen de klachten toe en wordt dan onderzoek gedaan, dan blijkt dat er al veel schade is aangericht. Hierdoor krijgen de patiënten niet tijdig de behandeling die ze nodig hebben. Dit wordt aangegeven met de term:

- *Onderbehandeling* De behandeling wordt niet of te laat ge-start met alle consequenties van dien: onnodige klachten, misschien onnodige schade aan de longen, onnodige beper-kingen, werk- en schoolverzuim met allerlei maatschappelij-ke, psychische en economische gevolgen.

- *Slechte therapietrouw* De adviezen van de arts worden door de patiënt onvoldoende of soms helemaal niet opgevolgd. Hij kan het roken niet laten of het is praktisch niet haalbaar het huis te saneren. Daarnaast laat het medicamentengebruik sterk te wensen over: een derde van de mensen die wegens CARA-klachten medicijnen krijgt voorgeschreven, gebruikt ze werkelijk volgens voorschrift, een derde naar eigen goeddun-ken. De overigen laten ze eenvoudig staan, gooien ze na enige tijd weg of hebben zelfs het recept niet opgehaald!
Een van de redenen van dit toch wel schokkende feit is dat veel CARA-patiënten niet weten wat ze echt mankeren, waar bepaalde medicijnen voor dienen en hoe ze deze moeten ge-bruiken. En ten slotte schrijven veel mensen aan medicijnen bijwerkingen toe die er helemaal niet zijn.

Uit een onderzoek in een Nederlandse huisartsenpraktijk in 1990 bleek, dat:
- 63% van de ondervraagde CARA-patiënten niet precies kon aangeven wat ze mankeerden;
- hoewel 90% van de ondervraagden 'blauwe luchtwegver-wijders' gebruikte, zoals Ventolin™, Bricanyl™, Berotec™ of salbutamol, was niet meer dan 45% goed op de hoogte van het effect ervan en 8% gebruikte een foute dosering;
- driekwart van de ondervraagden niet goed op de hoogte was van de werking van luchtwegbeschermende ('bruine') middelen zoals Becotide™, Becloforte™, Pulmicort™ en be-clometason en 25% gebruikte een onjuiste dosering.

5
Hoeveel mensen overlijden in Nederland aan astma? Stijgt dit aantal en hoe ligt dat voor CARA in het algemeen?

In de jaren tachtig kwamen uit een aantal landen berichten over langzaam stijgende sterftecijfers en toenemende ziekenhuisopnamen als gevolg van astma. Dat is natuurlijk verontrustend, te meer daar we tegenwoordig over goede medicijnen beschikken.

Gelukkig maakt Nederland hierop een gunstige uitzondering. In de leeftijdsgroep van nul tot 34 jaar overlijden jaarlijks gemiddeld 2 tot 3 personen per miljoen inwoners als gevolg van een astma-aanval. Dat is altijd nog 30 tot 45 per jaar. Dit aantal is de laatste 10 jaar niet gestegen, maar ook niet gedaald.

Kijken we naar de situatie van de ouderen, dan ligt het gezamenlijke sterftecijfer van astma, bronchitis en emfyseem veel hoger. Het blijkt dat CARA in 1987 bij mannen voor 11,8% en bij vrouwen 4,7% heeft bijgedragen aan de totale sterfte in Nederland. CARA vormt dan ook de derde doodsoorzaak na ziekten van hart en bloedvaten en kanker.

6
Hoe kan ik mijn CARA-klachten verminderen of proberen ervan af te komen?

Uit wetenschappelijk onderzoek blijkt dat als patiënten intensief bij de behandeling van een chronische aandoening betrokken worden, dat in veel gevallen belangrijke winstpunten op kan leveren. Natuurlijk moet de patiënt zich dan wel in de problemen ervan verdiepen en zich actief bezighouden met de vraag: hoe kan ik mijn aandoening zo goed mogelijk onder controle krijgen en houden. Hieronder volgen een aantal punten waarop moet worden gelet.

1. Weet wat u mankeert en ken de ernst van de aandoening. Heeft u een licht, matig of ernstig astma? Is het vaak ontregeld? Waardoor komt dat? Of hebt u misschien chronische bronchitis of emfyseem? (Zie vraag 35 en 41.)

2. Zorg dat de longfunctie steeds zo goed mogelijk is. Heeft u astma, dan kunt u dat met de piekstroommeter (zie vragen 96 t/m 98) zelf heel makkelijk in de gaten houden. Doe er alles aan om de luchtwegen zo wijd mogelijk te houden en voorkom dat ze extra gevoelig worden. Dat veroorzaakt immers bij het minste of geringste klachten (zie vraag 7).

3. Vermijd zoveel mogelijk die stofjes, gassen, dampen en andere schadelijke invloeden die uw luchtwegen voortdurend letterlijk en figuurlijk 'pesten' en een afweerreactie (zie vraag 14) oproepen. Voorkomen is immers beter dan genezen. Verder is het roken van sigaretten vragen om ellende. Hierdoor raken de luchtwegen niet alleen meer geprikkeld, maar ze kunnen ook onherstelbare beschadigingen oplopen (zie vraag 81).

4. Maak verstandig gebruik van beschermende middelen en luchtwegverwijders. Ga na waarvoor ze dienen en wanneer u ze moet gebruiken (zie vraag 105 en 106).

5. Maak een actieplan: weet wat u moet doen en laten als het u niet goed gaat. Welke medicijnen mag u extra nemen, hoe vaak, hoe lang? (Zie vraag 101 en 102.)

6. Ga regelmatig op controle bij uw dokter om een en ander door te praten, de longfunctie te laten controleren en met hem of haar te bespreken of uw behandeling nog de juiste is of misschien bijgesteld moet worden.

HOOFDSTUK 3

Overgevoeligheid en allergie van de luchtwegen

Wat is 'overgevoeligheid' van de luchtwegen?

Het belangrijkste kenmerk van CARA is een verhoogde gevoeligheid van de luchtwegen voor een groot aantal stofjes, prikkels en invloeden. We noemen dat hyperreactiviteit. Mensen met dergelijke overgevoelige luchtwegen reageren veel sterker op 'chemische luchtjes' zoals verflucht, sigarettenrook en parfum, dan we gewoonlijk gewend zijn, maar ook op inspanning, wisselingen van het weer, griepinfecties, temperatuurveranderingen en soms op emoties en spanningen. Deze overgevoeligheid van de luchtwegen is vaak aangeboren. Dat wil zeggen, dat in de genen waarin de erfelijke eigenschappen van de mens liggen opgeslagen, een of meer kleine schoonheidsfoutjes zitten. Hierdoor trekken de luchtwegen wat eerder aan de bel als ze met bepaalde stofjes, dampen of prikkelende gassen, temperatuurverschillen of weersveranderingen worden geconfronteerd.

De luchtwegen kunnen ook in de loop van het leven overgevoelig worden doordat ze vaak of langdurig aan irriterende chemische stoffen worden blootgesteld, zoals in de chemische industrie nogal eens voorkomt. Maar het kan ook een combinatie van factoren zijn: mensen die 'van huis uit' al een beetje aanleg hebben voor overgevoelige luchtwegen en in een bepaalde fabriek gaan werken, kunnen geleidelijk luchtwegklachten krijgen.

8
Wat is allergie? Is dat erfelijk?

Allergie betekent 'anders reageren'. De luchtwegen van allergische mensen hebben de vervelende eigenschap om op hele kleine 'niet-schadelijke' deeltjes, meestal afkomstig van dieren of planten, 'anders te reageren' dan degenen die deze eigenschappen niet hebben. Ze beschouwen deze als vijandige indringers. We noemen ze allergenen. Zo gaan de luchtwegen gevechten aan met schilfertjes van huisdieren, zoals katten, cavia's en paarden, maar ook met stoffen die zich in de keuteltjes van de huisstofmijt bevinden. Dit is een spinachtig diertje dat zich in alle huizen in Nederland ophoudt. Het beestje is zo klein, dat we het met ons blote oog niet kunnen zien. Die keuteltjes komen in de luchtwegen door het inademen van stofdeeltjes, waaraan ze vastkleven.
Verder 'vechten' de luchtwegen van allergische patiënten met stuifmeelkorrels. Dan ontstaat er hooikoorts. Het slijmvlies van de neus zwelt op en er wordt veel helder vocht geproduceerd. Iets dergelijks kan zich ook in de luchtwegen afspelen, met dat verschil dat naast het opzwellen van de luchtwegen ook de luchtwegspiertjes zich samentrekken. Dit alles leidt ertoe dat de luchtwegen minder doorgankelijk worden en er benauwdheidsklachten en hoestbuien kunnen optreden. Op dezelfde wijze zijn de benauwdheidsklachten tijdens het aaien van een kat, bij het slapen onder een donzen dekbed en door het inademen van andere allergenen te verklaren.

Overgevoelige luchtwegen en allergie komen vaak samen voor. Worden overgevoelige luchtwegen steeds maar weer geplaagd door allergische stoffen, dan raken ze ontstoken en neemt hun gevoeligheid toe. Daardoor ontstaan er klachten. Worden allergische luchtwegen ook nog geplaagd door bijvoorbeeld virussen of sigarettenrook, mist of baklucht, dan neemt de overgevoeligheid verder toe.

Overgevoeligheid en allergie versterken elkaar dus. En dat betekent steeds meer klachten zoals hoesten, piepen en benauwdheid. Figuur 12 brengt deze vicieuze cirkel in beeld.

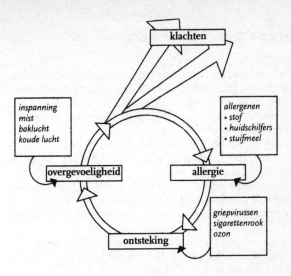

Figuur 12. Overgevoeligheid en allergie gaan vaak samen.

Ik ben allergisch – hoe groot is de kans dat mijn kinderen ook allergisch zijn?

Als een van de ouders allergisch is, heeft hun kind een kans van 50% het ook te zijn. Wanneer beide ouders allergisch zijn, is de kans groter: rond de 70%.

Ongeveer 35% van alle mensen heeft een allergische aanleg, maar niet iedereen die aanleg voor allergie heeft, krijgt ook allergische klachten. Ongeveer 10 tot 15% heeft er werkelijk last van. Of iemand klachten krijgt, wordt voor een belangrijk deel bepaald door omgevingsfactoren: komt de persoon in kwestie veel in aanraking met allergische of prikkelende stoffen, dan zullen uiteindelijk meer klachten optreden.

Van alle astmatische kinderen is ongeveer 90% allergisch. Met andere woorden: bij 90% van de astmatische kinderen spelen allergische factoren een rol bij het ontstaan van hun klachten. Is men de 25 jaar gepasseerd, dan nemen de allergenen een minder belangrijke plaats in en zijn vooral de niet-allergische invloeden zoals temperatuurwisselingen, verflucht, uitlaatgassen, baklucht en dergelijke de oorzaak van de klachten.

Welke klachten kunnen door allergie optreden?

• U kunt allergisch zijn voor stoffen die in de lucht rondzweven. Zoals u bij de vorige vraag heeft kunnen lezen zijn dat onder andere stuifmeel, keuteltjes van de huisstofmijt, schimmels, huidschilfers van huisdieren en nog veel meer. We noemen ze allergenen (zie ook vraag 24).
Wat voor soort klachten kunnen ze veroorzaken?
– Komen allergenen in uw ogen, dan kunt u last krijgen van dikke, rode, jeukende ogen.
– Komen allergenen in aanraking met het slijmvlies van uw neus, dan kan deze 'allergisch reageren': hij raakt verstopt door een verdikt slijmvlies, u krijgt een loopneus en gaat niezen.
– Kleinere deeltjes die in de lucht rondzweven, komen met de inademing tot diep in de luchtwegen. Deze geven dan aanleiding tot astmatische klachten.

• We weten dat een aantal van bovengenoemde stofjes ook verantwoordelijk is voor het ontstaan van eczeem. Beruchte eczeemplekken zijn elleboogplooien en knieholten. Verder zien we het nogal eens achter de oren en aan de binnenkant van de polsen.

• Er bestaan ook voedselallergieën. Kinderen kunnen in hun eerste levensjaren allergisch reageren op koemelk: de darmen verdragen de melk niet. De klachten zijn: buikpijn, diarree of een zeer onregelmatige ontlasting.
Voedselallergieën kunnen ook verantwoordelijk zijn voor eczeem en luchtwegklachten. Na het eten van bepaalde kleurstoffen of eiwitten (schaaldieren) kan het gezicht rood worden en opzwellen, waarbij ook een verdikking van de slijmvliezen van neus en luchtwegen kan optreden (zie ook vraag 12).

Wat is hooikoorts?

Hooikoorts wordt niet door hooi veroorzaakt en gaat ook niet gepaard met koorts. Deze term stamt uit de tijd dat men nog niets wist over allergie.

Als het gras bloeit of wordt gemaaid, krijgen sommige mensen een loopneus, vaak in combinatie met rode ogen en soms ook kortademigheidsklachten. Dit noemen we hooikoorts. Hooikoorts wordt veroorzaakt door een allergie voor pollen (stuifmeel) van gras, bomen, en vooral kruidachtige planten. Pollen zijn kleine korreltjes die veelal niet met het blote oog zijn te zien.

Het stuifmeel wordt door de wind meegenomen en verspreid. Diverse weersomstandigheden zoals wind, regen en droogte, maar ook de mate van luchtverontreiniging zijn medebepalend voor de hoeveelheid pollen die zich in de lucht bevindt. Hoe meer pollen er in de lucht zweven des te meer last hebben de hooikoortspatiënten. Wist u dat het stuifmeel van felgekleurde en lekker ruikende bloemen nauwelijks problemen veroorzaakt? Dit komt doordat het vooral door insecten van de ene naar de andere bloem wordt overgebracht en niet in de lucht rondzweeft.

De pollen van bomen zoals hazelaar, eik, berk en els daarentegen veroorzaken wel problemen. Ze ontwikkelen zich in de maanden januari tot mei. Ook de pollen van grassen, zoals timotheegras, Engels raaigras, vossenstaart, zwenkgras en nog enkele andere, veroorzaken overlast. Deze treffen we in mei, juni en juli in de lucht aan. De kruidachtige planten zoals zuring, weegbree, ganzenvoet en bijvoet produceren vooral van juli tot oktober stuifmeel, dat dan volop in de lucht rondzweeft.

Hooikoorts komt veel voor. Het veroorzaakt een jeukend en branderig gevoel van de slijmvliezen van de neus en de ogen. Zijn er veel pollen in de lucht, dan hebben mensen die last hebben van hooikoorts ook vaak niesbuien. Maar vooral een verstopte neus en opgezette en tranende ogen zijn het hinderlijkst. Luchtwegklachten treden niet zo vaak op omdat de meeste pollen net wat te groot zijn om diep in de luchtwegen door te dringen.

Meestal begint hooikoorts rond het 10e jaar, soms al op jongere leeftijd. In de eerste jaren kunnen de klachten in ernst toenemen. Daarna volgt een periode waarin ze elk jaar min of meer hetzelfde karakter hebben. Gewoonlijk nemen de hooikoortsproblemen tussen het dertigste en veertigste jaar geleidelijk af.

Kenmerkend voor hooikoorts is dat het een seizoengebonden aandoening is: de klachten treden op in de bloeitijd van de hiervoor genoemde gewassen.
Sinds enkele jaren worden zowel door de radio als de televisie hooikoorts voorspellingen uitgezonden. Er wordt aangegeven of de weersomstandigheden gunstig of ongunstig voor hooikoortspatiënten zijn.

11

Hoe kan ik ervoor zorgen dat ik zo weinig mogelijk last heb van hooikoorts?

Als u vaak last heeft van hooikoorts, houd dan rekening met het volgende:

• Belooft het in de maanden dat u meestal veel last heeft van hooikoorts, een droge, warme dag te worden, houd dan zoveel mogelijk de ramen van uw huis, kantoor en auto dicht. Dit geldt vooral voor de late middaguren, want dan zijn de pollenconcentraties het hoogst.

• Laat in de hooikoortsmaanden het gras maaien aan anderen over of maai het gras voordat het gaat bloeien.

• Heeft u vakantie in die periode, plan die dan indien mogelijk aan zee.

• In de bergen zult u ook minder last van hooikoorts hebben, maar houd er wel rekening mee dat in de alpenweiden op sommige dagen ook veel pollen in de lucht kunnen zweven. Het pollenseizoen is er meestal een halve maand later dan in Nederland.

• Medicijnen zijn soms onvermijdelijk; de mogelijkheden zijn:

– Antihistaminica zoals Zyrtec™, Triludan™, Semprex™ en Allerfre™. Ze verminderen en voorkomen voor een deel de klachten. Een nadeel is echter dat ze slaperigheid kunnen veroorzaken, alhoewel de nieuwere middelen dat veel minder doen. Ze zijn verkrijgbaar in tabletvorm.

– Middelen als Lomusol™ en Prevalin ™, neusspray's die een beschermend effect hebben en dezelfde eigenschappen bezitten als Lomudal™; dit is een bekend beschermend middel voor de luchtwegen (zie vraag 105). Ze voorkómen het optreden van klachten.

– Inhalatiesteroïden (zie vraag 105), zoals Beconase™, Rhinocort™ en Flixonase™, zijn ook in spray-vorm verkrijgbaar; Rhinocort™ bovendien in poedervorm. Het zijn wat krachtiger middelen dan Lomusol™ e.d. en ze voorkomen ook weer dat er klachten ontstaan. Beconase™ bevat dezelfde stof als het luchtwegbeschermend middel Becotide™. Rhinocort™ komt overeen met Pulmicort™. Flixonase™ is een nieuw ontwikkeld inhalatiesteroïd. Het bevat dezelfde stof als Flixotide™ (zie pag. 113 en 231). Door haar specifieke eigenschappen kan in de meeste gevallen worden volstaan met één keer daagse toediening in de neus.

– Ten slotte zijn er corticosteroïden in tabletvorm (prednison) of als injectie beschikbaar die tegen hooikoorts kunnen worden gebruikt. Maar deze moeten gezien hun ernstige bijwerkingen (zie de vragen 111 en 112) vanzelfsprekend gereserveerd blijven voor ernstige vormen.

Kortom:

• De antihistaminica bestrijden vooral de klachten; men neemt ze dus vooral als er klachten zijn.

• Wilt u klachten echter zoveel mogelijk voorkómen, dan is dagelijkse toepassing van een van de beschermende neusspray's (Lomusol™, Prevalin™, Beconase™, Rhinocort™ of Flixonase™) noodzakelijk tot de hooikoortsperiode voorbij is.

• Het is verstandig om ruim een week voor het hooikoortsseizoen aanvangt met deze middelen te beginnen.

Bestaat er een allergie voor voedingsmiddelen?

Er zijn nogal wat voedingsstoffen die de meest uiteenlopende klachten kunnen veroorzaken. In 43% zijn dat huidklachten zoals jeuk of galbulten, in 23% luchtwegproblemen in de vorm van astma of een verstopte neus en in 22% maag-darmsymptomen, zoals braken, diarree en buikkrampen.
We zien dergelijke klachten meer bij kinderen dan bij volwassenen.
Kleine kinderen zijn nogal eens allergisch voor het eiwit in koemelk (koemelkallergie). De verschijnselen hiervan openbaren zich gewoonlijk in de eerste 6 maanden na de geboorte. Dat kan allerlei problemen veroorzaken zoals slecht groeien, maar ook eczeem of astmatische klachten. Gelukkig groeien ze er na het vierde of vijfde levensjaar overheen.

Vooral dierlijke producten blijken minder goed te worden verdragen. Naast het al genoemde eiwit in koemelk zijn eieren en schaal- en schelpdieren (kreeft en mosselen) vaak de boosdoeners. Maar het is ook mogelijk overgevoelig te zijn voor groente zoals maïs, erwten, wortelen, tomaten, en fruit zoals appels, sinaasappels, kersen en aardbeien, of voor pinda's en

Tabel 1. *Voedingsmiddelen die aanleiding kunnen geven tot allergie.*

Dierproducten	:	rund- en varkensvlees, gevogelte, koemelk, eieren
Schaal- en	:	kreeften, krabben, garnalen, mosselen, schelpdieren, oesters
Groenten	:	spinazie, tomaten, selderij, peterselie, maïs, uien, erwten, aardappelen, wortelen, rode bieten
Noten	:	pinda's, hazelnoten, walnoten, amandelen
Vruchten	:	sinaasappelen, appelen, peren, perziken, kersen, abrikozen, bananen, tomaten en kiwi's
Graanproducten:		haver, rijst, rogge, gerst
Diversen	:	biergist, chocolade, colaproducten

andere noten. Kinderen die allergisch zijn voor pinda's kunnen onder andere astma-aanvallen krijgen door het eten van een boterham met pindakaas (zie ook tabel 1).

Is iemand voor een bepaald voedingsmiddel overgevoelig, dan gaat dat soms samen met een allergie voor stoffen die we inademen. We spreken dan van een 'combinatie'-allergie. Zo gaat een allergie voor berkenpollen nogal eens samen met allergie voor steenvruchten (appel, perzik) en noten (zie tabel 2). Voor andere vruchten is dat minder zeker (zie tabel 3).

Tabel 2. *Voedsel met een* duidelijke *relatie met berkenpollenallergie, in volgorde van voorkomen.*

hazelnoot	amandel	pruim
appel	walnoot	aardappel (rauw)
perzik	peer	paranoot
kers	wortel	pinda

Tabel 3. *Voedsel met een* waarschijnlijke *relatie met berkenpollenallergie.*

tomaat	kiwi	selderij
sinaasappel	meloen	avocado
druif	peterselie	abrikoos
rozenbottel	koolraap	kokosnoot
aardbei		

Het moment waarop de klachten optreden is wisselend: soms direct na het eten, maar soms ook pas uren later. Dit maakt het opsporen van de oorzaak en mede daardoor de behandeling van voedselallergie vaak moeilijk. Daarin de nodige tijd investeren kan uiteindelijk veel ellende besparen.

13
Kan borstvoeding de astmatische klachten van een allergisch kind beïnvloeden?

Er zijn inderdaad gegevens waaruit blijkt dat het geven van borstvoeding de ontwikkeling van allergieën bij baby's kan vertragen. Het blijkt dat minder eczeem voorkomt bij allergische kinderen die borstvoeding krijgen.

Voor astma zijn de gegevens tegenstrijdig. Sommige onderzoeken wijzen erop dat zich bij kinderen die langdurig borstvoeding hebben gehad, minder of later astmatische klachten ontwikkelen. Andere studies kunnen dit niet bevestigen.

Voor de praktijk betekent dit: komt er in de familie allergie voor, dan loopt de baby ook kans allergische klachten te krijgen, en wel in de vorm van eczeem, astma of hooikoorts. Het is verstandig om het kind het voordeel van de twijfel te geven en borstvoeding boven flesvoeding te verkiezen.

Is het mogelijk dat sommige mensen meteen benauwd worden na het inademen van allergische stoffen en anderen pas na enkele uren?

Inderdaad kunnen de klachten direct na het inademen van allergische stofjes optreden of pas 4 tot 8 uur later. Een voorbeeld: Als iemand allergisch is voor een kat en toch het dier op schoot neemt en het aait, dan kan binnen enkele minuten benauwdheid optreden. Dit wordt de 'vroege reactie' genoemd. In de regel gaan die klachten vanzelf weer over, hoewel soms een pufje van een luchtwegverwijdend middel (Ventolin™, Aerolin™, Bricanyl™, Berotec™ of salbutamol) nodig kan zijn om weer wat lucht te krijgen.

Over het algemeen werkt zo'n middel meteen, maar voor sommige mensen is het effect maar van korte duur, want na enkele uren kunnen ze opnieuw benauwd worden. De klachten die dan optreden, ontstaan geleidelijker en houden langer aan. We noemen dit de 'late reactie'.

Een voorbeeld: Iemand die allergisch is voor huisstofmijten en op zolder op zoek is naar een boek, kan bij dat zoeken wat benauwd worden (vroege reactie). Hij gaat naar beneden en drinkt rustig een kopje thee en het gaat al snel wat beter. Na een uur of vier treedt de benauwdheid opnieuw op, maar in veel sterkere mate dan op zolder het geval was (late reactie). Wat leren we hieruit? Kortademigheidsklachten die 's avonds of 's nachts optreden zijn nogal eens het gevolg van het inademen van allergische stofjes waarmee u overdag in contact bent geweest, zoals stof en huidschilfers van katten en paarden, pollen, veren of dons. Maar ook na inspanning kan een late reactie optreden, hoewel dit minder vaak voorkomt.

Het is dus dikwijls moeilijk na te gaan waar de klachten werkelijk door worden veroorzaakt. Het is in dergelijke gevallen aan te raden precies na te gaan wat er in de uren, die aan de klachten voorafgingen, is gebeurd. Kunt u er niet achter komen waardoor de kortademigheidsklachten ontstaan, dan kan een allergietest daar soms een antwoord op geven.

In ons land zijn de huizen in de herfst nogal eens vochtig.
Waarom is dat ongezond voor een astmapatiënt?

Onder vochtige omstandigheden kunnen twee bekende allergenen – de huisstofmijten en schimmels – zich prima handhaven en vermenigvuldigen. Dit is voor veel astmapatiënten geen gunstige situatie, want zowel schimmels als huisstofmijten kunnen tot astmatische klachten aanleiding geven. Het blijkt dat 80% van de allergische patiënten astmatische klachten krijgen door het inademen van stof, waarin zich keuteltjes van huisstofmijten bevinden. Deze kleine beestjes die wij niet met het blote oog kunnen zien, maar die in elk Nederlands huis aanwezig zijn, voelen zich in een vochtig, warm milieu het meest op hun gemak. Vooral aan droogte hebben ze een vreselijke hekel. Een temperatuur van 25 °C en een vochtigheidsgraad rond of boven de 80% vormen voor hen ideale omstandigheden om te groeien en zich te vermenigvuldigen. Dat is dan ook de reden dat ze juist in de herfstmaanden in de Nederlandse huizen in groten getale aanwezig zijn.

Waarom in de herfst meer last?
In de zomermaanden wordt meestal niet of nauwelijks gestookt, waardoor de vochtigheidsgraad binnen toeneemt. Wanneer in de herfst de verwarming weer wordt aangezet, duurt het enige tijd voor al dat vocht weg is. In die tijd (de herfstmaanden) profiteren de huisstofmijten van deze vochtige, warme omstandigheden. Het is voor hen een ideale broedsituatie. Zo komen er juist in die periode steeds meer mijten bij. Die produceren veel keuteltjes... en daar zijn astmapatiënten nu juist overgevoelig voor. Ademen ze deze met allerlei stofjes die in de lucht rondzweven in, dan veroorzaken ze een allergische reactie in de luchtwegen. Deze worden daardoor nauwer. Astmapatiënten ervaren dit als benauwdheid.

In de bergen (bijv. in Davos in Zwitserland) heerst een kouder en droger klimaat dan in Nederland. Daardoor komen er

daar weinig huisstofmijten voor en hebben astmatische patiënten daar veelal minder klachten.

Als advies geldt dan ook: zorg dat het huis droog is, want dan
krijgen huisstofmijten en schimmels minder kans. Dat betekent niet dat u alle ramen potdicht moet houden, want ventileren is noodzakelijk om de vochtige lucht uit de douche of
keuken uit het huis te laten ontsnappen (zie vraag 16 en 86).

Nog andere tips om vocht te bestrijden zijn:
– Zorg voor voldoende ventilatieroosters en let erop dat ze
ook werkelijk openstaan.
– Probeer zoveel mogelijk de was buiten te drogen.
– Neem bij voorkeur een wasdroger met een afvoer naar bui-
ten of een wasdroger zonder afvoer die zelf het vocht opvangt
(condensdroger).
– Gebruik als u kookt consequent de afzuigkap.
– Repareer lekkages zo snel mogelijk.

Dit zijn slechts enkele adviezen uit de brochure *Saneren* van
het Astma Fonds. Wilt u er meer over weten, vraag deze dan
aan. Een kaartje naar Antwoordnummer 99, 3800 XA Leusden en u krijgt het boekje toegestuurd (gratis), of bel de CARA-
lijn: 06-8991191, vanaf najaar 1997: 0800-227 25 96.

16

Is het waar dat allergie toeneemt?

Allergieën voor huisstofmijten, stuifmeel en voedsel komen steeds meer voor. Dat heeft verscheidene oorzaken.

– In de hooikoortsperiode hebben mensen die allergisch zijn voor pollen en bovendien in gebieden wonen met veel luchtverontreiniging, meer en langer last van hooikoorts. Dit komt doordat in die vervuilde streken ongerechtigheden, zoals deeltjes van zware metalen, roetdeeltjes en onverbrande koolwaterstoffen aan de pollen blijven hangen en zo de luchtwegen binnendringen. Deze worden daardoor extra geprikkeld en vormen zo aanleiding tot meer klachten dan men eigenlijk in een hooikoortsperiode zou verwachten.

Bovendien blijven door de hogere temperaturen die we vaak in steden met veel luchtverontreiniging aantreffen, de 'vervuilde' pollen langer in de lucht zweven, waardoor ze over een langere periode de luchtwegen van gevoelige mensen irriteren.

– Een andere reden voor toename van allergie kan worden gezocht in het feit, dat door de huidige bouwwijze de huizen veel beter worden geïsoleerd. De natuurlijke ventilatie neemt sterk af en daardoor verandert het zogenoemde 'binnenklimaat' ten voordele van huisstofmijten en schimmels, maar ten nadele van de astmapatiënten. Het dagelijks ventileren van het huis is daarom heel belangrijk (zie ook vraag 15).

– Naast genoemde redenen, blijkt ook door het roken van sigaretten allergie toe te nemen. Sigarettenrook kan het afweersysteem van allergische mensen aanzetten om meer antistoffen tegen allergische stoffen te maken, waardoor het nog sterker op allerlei allergenen reageert en nog meer allergische klachten veroorzaakt.

– Ten slotte neemt voedselallergie toe doordat er meer rauwkost wordt gegeten. De mensen eten meer groente en fruit in hun oorspronkelijke vorm, terwijl deze vroeger vaker gekookt werden. Daarop kunnen ze allergisch reageren. Ook het eten van reformproducten waarin allerlei granen, haver en gerst zijn verwerkt, alsmede het steeds toenemend gebruik van buitenlandse vruchten zoals kiwi's, dragen bij tot het vaker voorkomen van voedselallergie.

HOOFDSTUK 4

Nadere informatie over astma

Wat is astma?

Astma is, zoals in hoofdstuk 1 is uitgelegd, een ontsteking van de luchtwegen.
Dit heeft twee belangrijke gevolgen.
1. Als reactie hierop vernauwen de luchtwegen van mensen met astma zich sterker dan de luchtwegen van mensen die geen astma hebben. Deze luchtwegvernauwing kan het gevolg zijn van:
– het samentrekken van luchtwegspiertjes;
– het opzwellen van de wand van de luchtweg;
– overmatige vorming van slijm (zie fig. 5).
2. De luchtwegen worden gevoeliger voor irriterende prikkels als baklucht, verflucht en uitlaatgassen, maar ook voor temperatuur- en weersveranderingen.

Luchtweggevoeligheid en de daarmee samenhangende wisselend optredende luchtwegvernauwing zijn verantwoordelijk voor de astmatische klachten: benauwdheid, hoesten, piepen, slijm opgeven.

De eigenschap van de luchtwegen om overgevoelig te reageren is vaak aangeboren (zie vraag 7). In veel gevallen gaat dit gepaard met een aanleg voor allergie (zie vraag 8). Bij allergische mensen bestaat een verhoogde gevoeligheid voor allergenen. De combinatie 'overgevoelig reageren' en 'allergie' veroorzaakt het 'allergisch astma'.

Maar astma is niet altijd aangeboren. Ook op oudere leeftijd kan 'ineens' astma ontstaan. Allergie speelt daarbij meestal geen rol. Het wordt daarom ook wel het 'niet-allergisch astma' of 'intrinsic astma' genoemd.

Nog enkele belangrijke details:
• De gevoeligheid van de luchtwegen en de aard en ernst van de klachten kunnen variëren met de leeftijd. Bij kinderen en ouderen zijn de luchtwegen nogal eens gevoeliger. Zij hebben dan ook vaker astmatische klachten dan jonge volwassenen.
• Maar de gevoeligheid varieert ook over een periode van 24

uur. Bij astmapatiënten zijn de luchtwegen 's nachts en 's morgens vroeg extra gevoelig. Dat verklaart waarom juist dan meer klachten voor kunnen komen.

• De luchtweggevoeligheid kan ook onder invloed van hormonale schommelingen wisselen zoals tijdens de menstruele cyclus. Enkele dagen voor de menstruatie neemt het astma nog wel eens toe.

Naast deze zogenoemde 'inwendige' oorzaken is er een groot aantal 'uitwendige' prikkels die de gevoeligheid van de luchtwegen kunnen beïnvloeden (zie vraag 24).

Welke klachten worden door astma veroorzaakt?

Het woord 'astma' komt oorspronkelijk uit het Grieks en betekent: 'kortademigheid, benauwdheid, hijgen'. Met de term 'bronchiale' (bronchus = luchtweg) wordt aangegeven dat de kortademigheid wordt veroorzaakt door luchtwegproblemen.

Astma veroorzaakt, zoals we al gezien hebben, kortademigheid, een piepende ademhaling en het ophoesten van taai slijm. Dergelijke klachten kunnen per persoon sterk wisselen. Sommige mensen hebben alleen maar last van benauwdheid. Maar bij jonge kinderen kan ook hardnekkig hoesten, met name 's nachts, het enige symptoom zijn.
Verder is het van belang om de volgende punten te weten:
• Benauwdheid, hoesten en piepen treden niet alleen overdag op.
• Meer dan 70% van de astmapatiënten geeft aan dat ze ook 's nachts en 's morgens vroeg benauwd zijn en vaak piepen.
• Ook tijdens en na inspannig zoals hardlopen, fietsen of sporten kunnen kortademigheid en piepen optreden.
• De klachten kunnen sterk wisselen. Soms duurt het piepen maar kort, bijvoorbeeld na hardlopen, wat drinken in een rokerig café of iets zoeken op een stoffige zolder.
• Er kunnen weken of maanden voorkomen dat zich geen klachten voordoen
• Daarentegen kan het astma de patiënt ook weken en soms maanden achtereen last bezorgen. Bekend zijn de klachten die na een griep blijven 'hangen'.
• Soms doen zich aanvallen voor; dat zijn snel opkomende benauwdheidsklachten die moeilijk onder controle zijn te krijgen. Meestal moet er dan een dokter aan te pas komen.

Wat voor soort astma heb ik nu eigenlijk?

Deze vraag wordt vaak gesteld en is moeilijk te beantwoorden. Normaliter maken we, zoals we al gezien hebben, onderscheid tussen een allergisch en een niet-allergisch astma.

• Bij kinderen en jonge mensen is vooral sprake van het allergisch astma. Er treedt benauwdheid op door het inademen van allergenen (zie vraag 8 en 24). Gewoonlijk neemt de allergie na het vijfentwintigste levensjaar geleidelijk af. Rond en na de middelbare leeftijd spelen allergenen nog maar een ondergeschikte rol als uitlokkers van astmatische klachten. Daarentegen kunnen dan andere factoren zoals het weer, temperatuurveranderingen, griep of emoties meer last veroorzaken.

• Patiënten die hun eerste klachten pas in of na de pubertijd krijgen of op oudere leeftijd, hebben vaak een veel agressievere vorm van astma. Zelfs mensen van 60 jaar en ouder kunnen een dergelijk astma krijgen. Allergenen spelen daarbij geen rol en deze vorm van astma wordt daarom ook wel het niet-allergisch of intrinsic astma genoemd. Meestal is niet duidelijk waardoor de klachten worden veroorzaakt of waardoor de aanvallen ontstaan. Bekend is dat deze patiënten meer klachten hebben bij griep, verkoudheden en andere luchtweginfecties die meestal worden veroorzaakt door virussen. Vaak vormen ze het begin van een langdurige instabiele periode met veel en soms ernstige klachten (zie ook vraag 31).

Zowel bij het allergisch als het niet-allergisch astma kunnen we op basis van de op de voorgrond staande klachten spreken over:
• het *nachtelijk astma* (zie vraag 29);
• het *inspanningsastma* (zie vraag 27 en 28);
• het *beroepsastma* (zie vraag 30);
• het *aspirine-overgevoelige astma* (zie vraag 31).

20
Komt astma veel voor?

Astma is een veel voorkomende aandoening. Dat was het vroeger al en dat is het nog steeds. Er bestaat zelfs de indruk dat astma de laatste jaren toeneemt. Zeker 5% van de Nederlandse bevolking heeft er last van en voor sommige leeftijdscategorieën ligt dit percentage zelfs hoger. Men schat dat in Nederland 5 tot 10% van de kinderen in de leeftijd van nul tot vier jaar astma heeft. Voor kinderen in de leeftijdscategorie van 5 tot 14 jaar ligt dit op 5 tot 6%. In de groep van 15 tot 20 jaar heeft 3 tot 5% er last van. Astma is een van de meest voorkomende chronische ziekten bij kinderen.

Astma is bij kinderen moeilijk vast te stellen. Bij slechts de helft van hen wordt het voor het vijfde jaar als zodanig herkend.
Het komt anderhalf tot twee keer zoveel voor bij jongens als bij meisjes. In de puberteit verdwijnt dat verschil.

In het algemeen wordt aangenomen dat bij ongeveer de helft van de kinderen met astma de klachten rond de puberteit verdwijnen. Dit zien we vooral bij kinderen die een niet zo'n ernstige vorm hebben. Bij velen blijft wel een verhoogde prikkelbaarheid van de luchtwegen bestaan. Ze zijn extra gevoelig voor sigarettenrook en andere prikkelende en schadelijke stoffen.

Astma kan ook pas op oudere leeftijd ontstaan (zie vraag 19). Vermoedelijk komt dit veel meer voor dan wordt aangenomen. Er zijn nogal wat ouderen die luchtwegklachten hebben, maar dit toeschrijven aan 'het past bij mijn leeftijd', hoewel het in wezen astmasymptomen zijn. Deze kunnen tegenwoordig goed behandeld worden.

Welke klachten komen het meest voor?

In Nederland is daarover nog weinig onderzoek gedaan, maar in Engeland wel. Aan meer dan 61.000 astmapatiënten werd in 1991 gevraagd een vragenlijst in te vullen. Dat leverde de volgende gegevens op:

Tabel 4. *Enquête Engelse astmapatiënten (1991).*

- 35% van de ondervraagden beschrijft hun aandoening als matig tot ernstig
- 40% van de astmapatiënten heeft dagelijks of de meeste dagen van de week klachten
- 19% wordt elke nacht wakker door astmatische klachten
- 50% wordt minstens één keer per week wakker door astmatische klachten
- 38% van de astmapatiënten voelt zich in hun dagelijkse activiteiten matig tot sterk beperkt door astma
- 51% geeft aan dat hun leven voor een belangrijk deel beheerst wordt door astma
- 24% van de astmapatiënten heeft op zijn minst één week per jaar werkverzuim als gevolg van astma

Uit: *The Life Quality of Asthmatics*, 1991.

Deskundigen beweren dat 90% van de astmapatiënten een normaal leven moet kunnen leiden zonder geplaagd te worden door allerlei vervelende astmatische klachten. Als we op grond van deze bewering naar de uitkomst van het Engelse onderzoek kijken, blijkt er nog heel wat werk aan de winkel te zijn.

22
Hoe weet ik of ik met mijn astmaklachten naar de dokter moet of dat ik beter nog even kan wachten?

In de praktijk blijkt het moeilijk te zijn om in te schatten of je nu met bepaalde klachten naar de dokter moet of dat 'je zelf wat kunt blijven dokteren'. Om dit wat te sturen, is het 'ast-maverkeerslicht' bedacht. Iedereen kent de kleuren van het stoplicht. Deze worden nu als symbolen gebruikt om aan te geven:

• of uw astma onder controle is (u zit in de groene zone: uw behandeling is goed ingesteld, ga zo door met de voorge-schreven medicijnen);
• of uw astma matig ontregeld is (u zit in de oranje zone: uw behandeling moet worden bijgestuurd, als u weet hoe dat moet, kunt u dat zelf doen, maar meestal is het verstandig toch even naar de dokter te gaan);
• of uw astma sterk ontregeld is (u zit in de rode zone: uw behandeling schiet tekort, ga direct naar de dokter, want er dreigt gevaar).

Tabel 5 *Groene zone: u hebt uw astma goed onder controle.*

•	u hebt geen of af en toe kortdurend last van astma, minder dan 1 tot 2 keer per week
en	u slaapt goed, u wordt niet of zelden benauwd of piepend wakker, minder dan 1 tot 2 keer per maand
en	ook bij inspanning heeft u niet of nauwelijks last van astmatische klachen, zelfs niet bij sporten en dergelijke
en	u gebruikt meestal niet meer dan 3 keer per week een 'blauwe' luchtwegverwijder, zoals Ventolin™, Bricanyl™, Aerolin™, Berotec™ of salbutamol*. Af en toe komen er wel eens dagen voor dat u 1 of 2 keer per dag dit middel moet gebruiken, maar dat gebeurt zelden
en	uw piekstroom ligt tussen 80-100% van uw beste piekstroomwaarde

* De salbutamol-inhaler is niet altijd blauw.

Tabel 6 *Oranje zone: uw astma dreigt te ontregelen.* (Bijvoorbeeld als gevolg van een verkoudheid of griep of doordat u in contact kwam met allergische stoffen.)

•	u hoest en piept meer dan voorheen en u bent vaker dan 1 tot 2 keer per week benauwd
en/of	u wordt vaker door astma wakker, meer dan 1 tot 2 keer per week
en/of	bij inspanning, in rokerige omgeving of bij contact met allergenen piept u regelmatig en/of bent u nogal eens benauwd
en/of	u gebruikt vrijwel dagelijks de 'blauwe' luchtwegverwijder, Ventolin™, Bricanyl™, Aerolin™, Berotec™ of salbutamol, wel 3 tot 4 keer per etmaal
en/of	uw piekstroom ligt regelmatig tussen 60 en 80% van uw beste piekstroomwaarde

Tabel 7 *Rode zone: uw astma is sterk ontregeld. Er dreigt gevaar. Medische hulp is noodzakelijk.*

•	u bent elke dag meerdere keren of zelfs voortdurend benauwd en hoest veel meer dan anders
en/of	(bijna) elke nacht en ochtend wordt u piepend, hoestend of benauwd wakker
en/of	kleine stukjes lopen kost u soms zelfs moeite; een gesprek voeren kan al te veel zijn; veel last van rook e.d.
en/of	u hebt minstens 4 keer per etmaal een 'blauwe' luchtwegverwijder, Ventolin™, Bricanyl™, Aerolin™, Berotec™ of salbutamol, nodig. Dit middel werkt veel korter dan u gewend bent.
en/of	uw piekstroom is regelmatig lager dan 60% van uw beste piekstroomwaarde

N.B. Ook al is maar een van bovenstaande regels op uw situatie van toepassing, dan geldt toch dat u zich in de rode zone bevindt.

Door het gebruik van kleuren is het veel gemakkelijker om met uw dokter over het astma te praten.
Deze richtlijnen gelden alleen voor astmapatiënten. Voor chronische bronchitis en emfyseem zijn dergelijke criteria nog niet opgesteld.

23
Als astma een ontsteking van de luchtwegen is, waarom wordt het dan niet met penicilline behandeld?

Het grote verschil tussen de behandeling van astma en de behandeling van een infectie die door bacteriën wordt veroorzaakt, is dat we bij een infectie de bacteriën met antibiotica, zoals penicillines, kunnen doden, dus definitief uitschakelen.

Bij astma is daar geen sprake van. Allergische stofjes, prikkelende en irriterende gassen blijven dag en nacht op de loer liggen. We kunnen ze alleen maar zoveel mogelijk ontlopen (zie vraag 24) of er ons dagelijks tegen beschermen met beschermende of ontstekingsremmende middelen, zoals inhalatiesteroïden (bijv. Becotide™, Becloforte™, Aerobec™, Pulmicort™, Flixotide™ of beclometason) of in ernstige gevallen met prednison.
In lichtere gevallen – en vooral bij kinderen – kan Lomudal™ de luchtwegen beschermen. Een andere luchtwegbeschermer is Tilade™. Dit middel wordt voornamelijk voorgeschreven aan volwassen astmapatiënten met een lichte vorm van astma.

24
Waar moet ik als astmapatiënt rekening mee houden? Wat moet ik vermijden?

Hieronder volgt een aantal adviezen, waar astmapatiënten hun voordeel mee kunnen doen.

- Bent u allergisch, voorkom dan zoveel mogelijk het inademen van allergische stofjes zoals:
  - keuteltjes van huisstofmijten die gewoonlijk in huisstof, maar ook in matrassen, kussens en pluche speelgoedbeestjes zitten;
  - het stuifmeel van allerlei grassen, bomen en sommige kruidachtige planten;
  - schilfers van huisdieren met een harige vacht (katten, konijnen, cavia's, muizen en ratjes, maar ook honden);
  - wol, kapok, dons en veren.

Ook een verblijf in een vochtige ruimte kunt u beter vermijden omdat zich daar meer huisstofmijten en schimmels bevinden dan in een droge omgeving.

- Zowel voor allergische als niet-allergische patiënten (en ook voor patiënten met chronische bronchitis en emfyseem) geldt dat ze meer last kunnen krijgen door het inademen van:
  - uitlaatgassen en door industrie verontreinigde buitenlucht;
  - ozonrijke lucht, zoals in de zomer voor kan komen;
  - door baklucht en sigaretten- of sigarenrook verontreinigde 'binnenlucht'.

- Ook een slecht geventileerde ruimte, een niet goed trekkende geiser en een brandende open haard moeten zoveel mogelijk worden vermeden.

- Roken is het onverstandigste wat een CARA-patiënt kan doen. De luchtwegen raken niet alleen nog meer geïrriteerd dan ze al waren, maar er treden bovendien sneller beschadigingen op, dan bij mensen die geen CARA hebben. Dat kan na een aantal jaren tot ernstige long-functiestoornissen leiden. Vermijd ook zoveel mogelijk het 'passief roken'.

- Let er bij uw werk en het uitoefenen van uw hobby op of er stofjes zijn die astmatische klachten veroorzaken en probeer ze te vermijden.

• Neem reacties op voedingsmiddelen en kleurstoffen serieus, Ze kunnen opnieuw optreden, soms in ernstiger vorm.

• Sommige medicijnen kunnen aanleiding geven tot benauwdheid, zoals:
– aspirine en andere pijnstillers tegen spier- of gewrichtspijnen zoals Brufen™, Indocid™, Naprosyne™, Voltaren™ en nog veel andere (lees altijd de bijsluiter). Een veilige pijnstiller is paracetamol.
– Ook bepaalde harttabletten – de zogenaamde beta-blokkers, zoals Inderal™, Tenormin™, Selokeen™, Lopresor™ en Trasicor™ – kunnen astmatische klachten veroorzaken zoals benauwdheid en hardnekkige hoestklachten.
– Zelfs oogdruppels kunnen beta-blokkers bevatten en daardoor benauwdheid veroorzaken; bijvoorbeeld Timoptol™-oogdruppels.

• Ook is bekend dat astmatische klachten kunnen toenemen vóór de menstruatie, als gevolg van psychische spanningen (zie vraag 32) en door inspanning (zie vraag 27 en 28).

• Griepvirussen kunnen het astma sterk ontregelen. Het is daarom verstandig een griepinjectie te nemen om griep te voorkomen (zie vraag 72).

25
Mijn tante heeft een kat. Als ik daar gelogeerd heb, blijf ik een paar dagen benauwd. Waardoor komt dat?

In het huis van je tante zweven overal huidschilferjes van de kat rond. Die kunnen door het ademhalen in je luchtwegen terechtkomen. Omdat je allergisch bent voor katten gaan je luchtwegen daartegen protesteren. Ze gaan zelfs een gevecht met die huidschilfertjes aan. Je hebt dat gemerkt doordat je bij je tante steeds wat benauwd was.

In die week is er heel wat in je longen gebeurd. Steeds als je katten-huidschilfertjes inademde, raakten je luchtwegen meer geïrriteerd. Als je erin had kunnen kijken, zou je hebben kunnen zien, dat ze rood en opgezwollen waren. Dat verklaart natuurlijk dat je toen wat benauwd was, maar dat was niet het enige. Je luchtwegen waren ook sneller geïrriteerd. Dat kwam onder andere doordat de trilhaarcellen, die als een soort tegeltjes netjes de binnenkant van de luchtwegen bedekken (zie fig. 3 op pag. 22), door het 'gevecht' tegen de schilfertjes beschadigd raakten. Zo kwamen allerlei zenuwuiteinden (in hoofdstuk 1 hebben we die snuffelpaaltjes of voelsprieten genoemd), meer aan de oppervlakte te liggen en waren veel gemakkelijker te irriteren dan anders. Dit had tot gevolg dat je om het minste of geringste hoestte en je luchtwegen veel heftiger reageerden dan normaal. Je had bijvoorbeeld last van de sigarettenrook van je oom en van het parfum van je tante. Als je in de varkensstal kwam sloeg je meteen dicht.

Toen je weer thuiskwam, bleef je nog een tijdje last van je astma houden, ofschoon jullie geen kat hebben. Dit komt doordat het nog weken duurt voor zich weer een nieuw rijtje trilhaarcellen heeft gevormd, waardoor de irritatie van de luchtwegen vermindert en je luchtwegen weer beschermd worden.

Wat moet ik doen als ik bij mijn tante ga logeren die een kat heeft waarvoor ik allergisch ben?

Ben je erg allergisch voor katten dan zou het meest verstandige zijn om niet naar je tante te gaan.

'Zijn er echt geen andere oplossingen?' zul je natuurlijk vragen. Ja, die zijn er wel, maar de ene werkt beter dan de andere.

• Je kunt aan je tante vragen of de kat een weekje ergens anders heen mag. Dat helpt meestal niet veel omdat toch nog overal schilfertjes van dit beestje in huis blijven rondzweven. Het kan wel drie maanden duren voordat die weg zijn.

• Blijft de kat toch in huis, dan is het het beste om zoveel mogelijk uit haar buurt te blijven en ervoor te zorgen dat ze niet op je slaapkamer komt.

• Verder moet je waarschijnlijk meer medicijnen nemen. Bij je vorige logeerpartij (zie vraag 25) waren je luchtwegen onvoldoende beschermd. Want ondanks dat je je luchtwegbeschermer (Flixotide™) goed gebruikte, had je toch nog last.

Neem de volgende keer maatregelen:

• verdubbel enkele dagen voor je gaat logeren je Flixotide™-dosering: in plaats van 's morgens en 's avonds één inhalatie neem je er twee;

• blijf dit dubbele aantal inhalaties volhouden totdat je weer thuis bent, ook al heb je tijdens je logeerpartij geen last;

• maar... moest je in die week bij je tante meer Ventolin™ nemen dan gewoonlijk, omdat je toch weer meer last van astma had, dan moet je als je weer thuis bent doorgaan met het dubbele aantal inhalaties, net zolang tot je geen last meer hebt. Duurt het een week voordat je weer zover bent, dan is het verstandig om nog een week de dubbele dosering aan te houden. Duurt het twee weken, dan ga je nog twee weken daarmee door. Daarna ga je weer terug naar 's morgens en 's avonds één inhalatie Flixotide™, zoals je gewend was.

Wat is inspanningsastma?

Kenmerkend voor inspanningsastma is dat tijdens, en vaker nog direct na een flinke (minstens 6 minuten durende) inspanning, kortademigheid, piepen en hoesten optreden. De meeste klachten doen zich 3 tot 15 minuten na de inspanning voor. Ze kunnen na een paar minuten vanzelf overgaan, maar ook uren aanhouden. Vaak is een luchtwegverwijder zoals Ventolin™ nodig. Soms treedt na 4 tot 12 uur opnieuw benauwdheid op. Dit noemen we de 'late reactie'.

Bij veel astmapatiënten kan lichamelijke inspanning benauwdheid, hoesten of piepen veroorzaken. Of inspanning wel of niet tot benauwdheid leidt, is afhankelijk van hoe lang, hoe sterk, en onder welke omstandigheden men zich inspant; en natuurlijk ook hoe ernstig het astma is. Naarmate de luchtwegen gevoeliger zijn, zien we vaker klachten ontstaan, bijvoorbeeld bij hooikoortspatiënten in de hooikoortsperiode. Ook na een griep kan inspanning tot astmatische klachten aanleiding geven, terwijl men daarvóór nergens last van had. Door de griep neemt de gevoeligheid van de luchtwegen namelijk tijdelijk toe.
Maar ook de omstandigheden waaronder men sport spelen een rol. Zo treden bij sporten onder koude en droge omstandigheden vaker benauwdheid, hoesten en piepen op. Sporten op een zwoele zomeravond en zaalsporten geeft veel minder last dan op een koude droge winterochtend. Inspanningsklachten komen ook nauwelijks voor bij zwemmen in een overdekt zwembad, omdat dan vochtige en betrekkelijke warme lucht wordt ingeademd.

Waardoor ontstaat inspanningsastma? Vermoedelijk zijn afkoeling en uitdrogen van de luchtwegen de belangrijkste prikkels die tot luchtwegvernauwing aanleiding geven. Inspanningsastma is dus een uiting van overgevoeligheid van de luchtwegen, zoals ook het nachtelijk astma. Soms is het zelfs het enige symptoom van astma.

Kan er iets aan inspanningsastma worden gedaan?

Veel astmapatiënten – of ze nu allergisch zijn of niet – kunnen benauwd worden of hoesten tijdens of korte tijd na hardlopen, tegen de wind in fietsen of voetballen e.d. Dergelijke klachten treden eerder op als het droog, koud weer is, na een griep (zie vraag 70), of als het astma meer 'opspeelt'. Inspanningsastma (zie vraag 27) is een uiting van overgevoeligheid van de luchtwegen. Het kan iemand geweldig beperken in zijn normale activiteiten: tijdens fietsen, hardlopen, spelen, sporten e.d. Gelukkig zijn er nogal wat mogelijkheden om er wat aan te doen. Bespreek daarom dit probleem met je huisarts. Maar je kunt er ook zelf iets aan doen. Hier zijn enkele tips.

• Merk je dat je tijdens hardlopen of fietsen benauwd wordt of dat je gaat hoesten, doe het dan even rustig aan. Soms gaan de klachten dan vanzelf over; we noemen dat 'door het inspanningsastma heen lopen'. Vaak kom je er echter niet onderuit om toch een luchtwegverwijdend medicijn als Ventolin™, Aerolin™, Bricanyl™, Berotec™ of salbutamol te nemen om weer gewoon door te kunnen.

• Zijn de inspanningsklachten eenmaal opgetreden en daarna weer overgegaan, dan heb je er meestal de daaropvolgende anderhalf tot twee uur geen last van. Van dit gegeven kun je gebruik maken door tijdens je warming-up lichte inspannings-astmaproblemen te 'forceren', dus bewust op te wekken, zodat je er dan enige tijd geen last van hebt. Je moet natuurlijk wel uitproberen of dit ook op jou van toepassing is.

• Ga ook na of je misschien juist met langzaam inlopen inspanningsastma kunt voorkómen. Voor de wedstrijd een aantal korte sprintjes trekken kan er soms voor zorgen, dat je enige tijd geen inspanningsproblemen hoeft te verwachten.

Je kunt nog meer maatregelen nemen om te voorkomen dat inspanningsklachten optreden.

• Richt je vooral op binnensporten. Je ademt dan geen koude lucht in, wat immers een belangrijke aanleiding is voor het optreden van inspanningsastma. Zwemmen is een prima sport voor astmapatiënten, mede omdat de lucht in een zwembad warm en vochtig is.

- Ook medicijnen kunnen inspanningsklachten voorkomen.
- Heb je maar af en toe last van inspanningsproblemen, dan kan een inhalatie met een luchtwegverwijdend middel zoals Ventolin™, Aerolin™, Bricanyl™, Berotec™ of salbutamol enkele minuten voor je gaat sporten, voorkomen dat je luchtwegen dicht gaan zitten. Dit geldt ook voor Lomudal™ en Tilade™.
- Omdat inspanningsastma een uiting is van overgevoeligheid van je luchtwegen, is het belangrijk om na te gaan of deze niet beschermd moeten worden met luchtwegbeschermers, zoals Becotide™, Becloforte™, Aerobec™, Pulmicort™, Flixotide™ of beclometason en budesonide. Ook Lomudal™ en Tilade™ kunnen hiervoor in aanmerking komen. De dokter weet welk medicament in jouw geval het best kan worden voorgeschreven. De ervaring leert dat door gebruik van deze middelen het inspanningsastma minder vaak en in mindere mate optreedt. Een aantal mensen blijft er echter toch nog last van houden. In dergelijke gevallen kunnen langwerkende luchtwegverwijders (Serevent™, Foradil™, Oxis™) een oplossing brengen.

- Doe je mee aan officiële wedstrijden, dan is het belangrijk te weten dat door het Olympisch Comité de volgende luchtwegverwijders zijn toegestaan: Ventolin™, Aerolin™, Bricanyl™ en Serevent™.
Verder mogen ook luchtwegbeschermers via inhalatie worden gebruikt. De luchtwegverwijder Berotec™ en depot-corticosteroïden (injecties) staan niet op de lijst van toegelaten middelen.

29
Wat is nachtelijk astma?

Zoals u weet, kent het lichaam zogenaamde biologische ritmes. We bedoelen hiermee dat ons lichaam bepaalde uren van de dag heel actief is, maar daarna om rust vraagt. Grofweg gezegd is dit ons 'dag-nachtritme'. Het wordt ook wel het '24-uursritme' genoemd. Deze biologische ritmes blijken invloed te hebben op de gevoeligheid van de luchtwegen. Zo zijn ze 's nachts gevoeliger dan overdag.

Bij astmapatiënten zijn deze dag-en-nachtschommelingen meer uitgesproken en sterker naarmate het astma ernstiger is of minder goed onder controle is. Ook patiënten met chronische bronchitis en emfyseem hebben er last van, maar in mindere mate. Omdat een sterkere gevoeligheid van de luchtwegen ook meer klachten veroorzaakt, is een van de vragen die de dokter u stelt om erachter te komen hoe ernstig uw astma is: 'Wordt u 's nachts of 's morgens vroeg wel eens benauwd of piepend wakker?'
Het optreden van nachtelijke of vroege-ochtendklachten, ook wel aangeduid met de term 'nachtelijk astma', is hinderlijk en betekent bovendien dat de behandeling moet worden bijgesteld! Zijn er wel beschermende middelen zoals Lomudal™, Tilade™, Becotide™, Becloforte™, Aerobec™, Pulmicort™, Flixotide™ of beclometason en budesonide voorgeschreven, en in voldoende hoge dosering? Als ondanks deze middelen toch klachten optreden, kan geprobeerd worden of met de langwerkende luchtwegverwijders, zoals Serevent™, Foradil™ of Oxis™, deze problemen kunnen worden ondervangen. In de regel lukt dit en blijkt bovendien dat met deze middelen het astma ook overdag minder problemen oplevert (zie vraag 103 en 106).

Dat nachtelijk astma voor veel mensen een reëel probleem vormt, blijkt uit een Engels onderzoek:
• van de astmapatiënten die aan dit onderzoek deelnamen, werd 19% elke nacht wakker door hun astma;
• 34% hiervan gaf aan dat dit drie keer per week of meer het geval was;
• ongeveer de helft van het aantal deelnemers werd ten minste eenmaal per week door astmatische klachten wakker.

Wat is beroepsastma?

Aan het eind van de jaren zestig verschenen de eerste rapporten over een sterke toename van astmatische klachten bij arbeiders die in de zeepindustrie werkten en blootgesteld waren aan bacteriële enzymen. Daarna kwamen steeds meer berichten over beroepsgebonden astmaklachten, met name van de kant van arbeiders in de plastic-industrie, allergische dierenartsen, kapsters (o.a. door haarlak) en timmerlieden (door rood cederhout).
Een heel oud voorbeeld is het bakkersastma. Allergie voor meel en/of gist wordt vastgesteld bij 10 tot 30% van de bakkers. Ook het zogenaamde isocyanaat-astma is bekend bij mensen die bijvoorbeeld auto's spuiten. Het middel veroorzaakt soms ernstige vormen van astma.

Beroepsastma behoort tot de beroepsziekten die worden veroorzaakt door inademing van stoffen die tijdens het arbeidsproces (of hobby) verwerkt worden of vrijkomen.
Bij vijf procent van de mensen die astma hebben, worden de klachten veroorzaakt door stoffen waarmee ze beroepsmatig in aanraking komen.

Meestal is er een sluipend begin: na enige weken, maanden, maar soms ook pas na enige jaren op een bepaalde afdeling of in een bedrijf gewerkt te hebben, ontwikkelen zich geleidelijk kortademigheidsklachten. Ook hoesten kan een uiting zijn van zich ontwikkelende luchtwegproblemen. Soms treden ook neus- en oogklachten op. Vaak zijn de klachten in het weekend en tijdens de vakantie minder.

Worden er geen maatregelen genomen in de vorm van betere bescherming van de werknemer, of verandering van werkplek, dan kan een chronisch ziektebeeld ontstaan, dat in de ernstigste gevallen niet meer verdwijnt, ook al komt men niet meer met dergelijke stoffen in aanraking.

De bedrijfsarts speelt een belangrijke rol bij het opsporen van beroepsastma. Hij maakt op zijn speurtocht vaak gebruik van een dagboek, de piekstroommeter en longfunctieonderzoek (zie vragen 95 t/m 98). Hij vraagt de patiënt zowel tijdens het werk als thuis klachten te noteren en metingen te doen om na te gaan of de luchtwegen onder werkomstandigheden meer vernauwd zijn dan op vrije dagen.

De therapie is vaak duidelijk: vermijd de stoffen die de problemen veroorzaken. In de praktijk is dat niet zo eenvoudig op te lossen. Het kan verandering van werkplek, maar soms ook omscholing betekenen. Vaak zijn beschermende medicijnen nodig (zie ook vraag 91 en 105), maar dat is geen definitieve oplossing voor dit probleem.

Wat wordt bedoeld met aspirine-overgevoelig astma?

Het is bekend dat bij 10 tot 30% van de astmapatiënten aanvallen kunnen optreden, nadat zij pijnstillende middelen hebben genomen in de vorm van aspirine, aspirine-bevattende
producten of anti-reumamiddelen zoals Indocid™, Volta-
ren™, Naprosyne™, Brufen™ en ibuprofen. Maar er zijn er
nog meer. Het voert te ver om ze allemaal te noemen. Dergelijke middelen worden niet alleen bij reuma voorgeschreven,
maar ook bij gewrichts- en spierklachten, kneuzingen of ver-
stuikingen.

Het aspirine-overgevoelige astma komt vooral voor als onderdeel van het 'niet-allergische astma' of 'intrinsic astma' (zie
vraag 19). Ook sommige allergische patiënten kunnen astmatische problemen door aspirinehoudende middelen krijgen.

We zien deze betrekkelijk zeldzame vorm van astma vooral
bij volwassenen en meer bij vrouwen dan bij mannen. Het
'niet-allergisch astma' en 'aspirine-overgevoeligheid' gaan
vaak gepaard met het optreden van hardnekkige neusklachten
en neuspoliepen. Deze kunnen overigens al lange tijd voordat
de astmatische klachten zich voordoen, bestaan. Sommige
mensen merken bovendien dat ze geleidelijk minder goed tegen alcohol kunnen.

De door aspirine en anti-reumamiddelen veroorzaakte astma-
aanvallen kunnen ernstig zijn en zijn nogal eens moeilijk te
behandelen. Daarom luidt het advies: astmapatiënten, gebruik geen aspirine, aspirinehoudende pijnstillers of anti-reumamiddelen. Als pijnstillende middelen nodig zijn, gebruik
dan een middel als paracetamol.

Bestaat psychisch astma?

Het antwoord is nee. Dat je door psychische spanningen benauwd kunt worden en er zelfs een astma-aanval door kunt
krijgen, zal niemand ontkennen. Hiervan zijn genoeg voorbeelden bekend: verjaardagen, Sinterklaas, vakanties, exa-
mens, ruzies en verdriet kunnen het astma zeker verergeren.
Maar dan nog kunnen we niet spreken van psychisch astma.

Astma is in de eerste plaats een gevolg van aanwijsbare lichamelijke problemen waardoor de luchtwegen overgevoelig
worden. Zoals gevoelige luchtwegen van CARA-patiënten op
temperatuurwisselingen, bak- en braadlucht, parfums of verflucht reageren, zo kan het astma ook ontregeld raken door
psychische spanningen. Hoe komt dat? Daar is het laatste
woord nog niet over gezegd. Vroeger werd wel gesproken
over patiënten met een zogenaamd 'astma-karakter'. Astma
werd beschouwd als een psychische stoornis, maar deze theo-
rie is allang achterhaald.

Het is echter wel heel goed voorstelbaar dat een patiënt uit
angst voor benauwdheid zich steeds meer terugtrekt en zichzelf steeds meer beperkingen oplegt. Op den duur kan hij
zelfs depressief worden. Zo'n situatie beïnvloedt de lichamelijke klachten in negatieve zin. Het is dan vaak moeilijk om de
juiste behandeling en begeleiding voor zo'n patiënt te vinden,
te meer omdat de depressie ertoe kan bijdragen dat de nood-
zakelijke dagelijkse medicijnen niet meer genomen worden:
'Mij helpen ze toch niet.' Het zal duidelijk zijn dat het belangrijk is dergelijke patiënten te activeren, zodat ze niet in een
isolement geraken.

Overigens kan een uitbundige lachbui ook een astma-aanval
veroorzaken. Dat is niet psychisch, maar het gevolg van de
'lachbewegingen', waardoor de luchtwegen sterk geprikkeld
worden.

33
Kun je aan een astma-aanval doodgaan?

Het aantal patiënten dat jaarlijks in Nederland als gevolg van een astma-aanval overlijdt, is gering. Voor de leeftijd tot 4 jaar is dat aantal 2 tot 4 kinderen. Maar van 5 tot 34 jaar ligt dat aantal hoger en wel rond de 35 tot 40. Ernstige situaties treden vaker op, maar lopen gelukkig meestal nog net goed af. Uit een Engels onderzoek (1982) naar de ziektegeschiedenissen van 90 aan astma overleden patiënten blijkt, dat bij 76 van hen de ernst van de situatie door de patiënt zelf of hun directe omgeving niet voldoende was onderkend. Door 36 patiënten werd wel de hulp van de huisarts ingeroepen. Maar bij 25 van deze 36 patiënten werd de ernst niet goed ingeschat en bij 24 patiënten van deze 36 werden onvoldoende maatregelen genomen of werd te laat naar een ziekenhuis verwezen. Slechts bij 9 van de 90 patiënten werd er zowel door de patiënt, de omgeving als de arts goed gehandeld, maar bleek de dood niet te vermijden.

Het zijn vooral astmapatiënten uit de groep van de opgroeiende jeugd en jonge volwassenen die door astma in ernstige problemen komen. Dat is niet zo vreemd: ziek zijn past niet bij hun leeftijd. Ze doen alsof er niets aan de hand is en nemen geen medicijnen in. Dat kan lang goed gaan, maar een aanval kan ze dan in een ernstige situatie brengen.
Soms slaan ze zelfs nauwelijks acht op een dreigende astma-aanval en roepen te laat medische hulp in, zodat ze in een ziekenhuis op een intensive care belanden. Artsen en verpleegkundigen zetten dan natuurlijk alle zeilen bij om de patiënt weer uit deze ernstige situatie te halen. Meestal gaat het goed, soms echter ook niet...

Een andere groep jongeren wil vooral niet dat de omgeving het merkt dat ze astma hebben. Zo vindt Mariska dat haar vriend niet hoeft te weten dat zij het aan haar longen heeft. Ze heeft van haar huisarts een spuitbusje Ventolin™ (een luchtverwijdend middel) gekregen. Het fijne daarvan is dat het onmiddellijk werkt, binnen één minuut heeft ze weer lucht. Haar huisarts heeft haar ook Flixotide™ voorgeschreven om de luchtwegen te beschermen, maar dat neemt ze niet...

Nu is het zaterdag. Mariska heeft met haar vriend om acht uur 's avonds afgesproken. Om zeven uur neemt ze haar eerste pufje Ventolin™ uit voorzorg, je weet maar nooit... Om vijf voor acht een tweede pufje. Peter komt binnen met een sigaret in zijn mond. Voor de disco nog een keer Ventolin™, want er wordt daar vreselijk gerookt. Heerlijke muziek, snelle ritmes. Dan realiseert ze zich weer dat ze inspanningsastma heeft, waardoor ze het altijd zo benauwd krijgt van het dansen. Ze grijpt weer naar de Ventolin™. De avond vordert en de nacht breekt aan. Ze wordt naar huis gebracht en vele pufjes Ventolin™ volgen...

Hoewel Mariska weet dat ze astma heeft, beschermt ze haar luchtwegen onvoldoende. Deze vernauwen zich steeds weer opnieuw. Mariska is een van de velen die zich schaamt voor haar piepen en neemt daarom veel te veel Ventolin™. Ze bestrijdt de klachten, maar pakt de oorzaak niet aan door regelmatig haar luchtwegbeschermer Flixotide™ te nemen. Ze neemt daardoor een groot risico.

Ten slotte is er een categorie astmapatiënten bij wie zich binnen heel korte tijd een ernstige aanval kan ontwikkelen. Vaak hebben ze van tevoren wel een 'waarschuwing' gehad in de vorm van lichte kortademigheidsklachten of andere tekenen die erop wijzen, dat het astma dreigt te ontregelen. Schenken ze hieraan onvoldoende aandacht dan kan dit ernstige gevolgen hebben! Maar wat even belangrijk is, is dat zij – en hun familie – moeten weten wat ze moeten doen, als zich werkelijk een levensbedreigende situatie voordoet.

Als we ons meer in dit probleem verdiepen, dan is een aantal oorzaken op te noemen waardoor mensen niet goed met hun astma omgaan en daardoor grote risico's lopen:
• Ze weten niet wat voor aandoening ze hebben en in welke mate deze bij hen een rol speelt of zou kunnen spelen.
• Ze weten niet goed wat ze moeten doen om het astma onder controle te houden. Ze hebben alleen vertrouwen in luchtwegverwijdende middelen, zoals Ventolin™. Ze nemen deze 'blauwe' luchtwegverwijders wel 4 tot 6 en soms wel 10 keer per dag, zonder ook maar de minste maatregelen te nemen om klachten te voorkomen met beschermende middelen (zoals Becotide™, Becloforte™, Aerobec™, Pulmicort™, Flixotide™, beclometason, budesonide, Lomudal™ of Tilade™).

- Ze weten niet hoe ze moeten handelen als zich werkelijk een ernstige situatie voordoet. Ze roepen geen medische hulp in of doen dat veel te laat. Dit geldt ook voor de familie.
- Ze hebben problemen met hun inhalatieapparaatje (bijv. verkeerd gebruik), waardoor ze op kritieke momenten te weinig medicijnen binnenkrijgen.
- Er bestaat angst voor medicijnen, angst dat ze eraan wennen en angst voor middelen, waaraan ze bijwerkingen toeschrijven die er niet zijn.
- Bovendien hebben nogal wat mensen angst voor prednison-achtige middelen, waardoor ze niet naar een dokter gaan, of misschien wel gaan, maar als dergelijke middelen worden voorgeschreven deze niet nemen.
- Ten slotte kunnen onverschilligheid, misverstanden, een slechte relatie met de dokter en vergeetachtigheid het astma in negatieve zin beïnvloeden.

HOOFDSTUK 5

Meer over chronische bronchitis en emfyseem

34
Wat is acute bronchitis?

Bronchitis is een algemene term voor ontstekingen van de
bronchiën. Bronchus is het Latijnse woord voor luchtweg. Dit
ziektebeeld komt zowel bij mensen als bij dieren voor. We
kennen een acute en chronische vorm (zie vraag 35).
Acute bronchitis treedt vaak op als gevolg van infectieziekten,
die vooral door virussen worden veroorzaakt. Bekende voorbeelden zijn griep en verkoudheid. Vroeger was ook mazelen
in dit opzicht berucht. Acute bronchitis kan bovendien het gevolg zijn van een ontsteking die door bacteriën wordt veroorzaakt.
Ook rook en schadelijke dampen of gassen kunnen een acute
bronchitis tot gevolg hebben. We zien dit wel eens na het inademen van hoge concentraties van een schadelijk en prikke-
lend gas dat vrijkomt bij een ongeluk in een chemische fabriek.

Acute bronchitis geneest meestal zonder sporen achter te laten. Soms treden echter blijvende beschadigingen op zoals
voor kan komen na mazelen of andere ernstige griepachtige
virusinfecties.
Een ervan is het ontstaan van bronchiëctasiën. Dit zijn zwakke plekken in de luchtwegen, die wat gaan 'uitlubberen' en
waarin zich gemakkelijk slijm kan ophopen. Dit vormt dan
een goede voedingsbodem voor bacteriën, die vandaaruit
steeds weer nieuwe luchtweginfecties kunnen veroorzaken.

Ernstige virusinfecties op de kinderleeftijd lijken ook oorzaak
te zijn voor het ontstaan van overgevoeligheid van de luchtwegen. In aansluiting hierop kunnen kinderen astmatische
klachten houden. Acute bronchitis wordt echter niet tot CARA
gerekend.

Wat is chronische bronchitis?

Chronische bronchitis is een aandoening van de luchtwegen die vaak dagelijks klachten geeft in de vorm van hoesten en slijm opgeven. De veranderingen die in de luchtwegen optreden en de klachten veroorzaken zijn meestal het gevolg van het roken van sigaretten. De aandoening komt meer bij mannen voor dan bij vrouwen. Dit verschil wordt echter steeds kleiner. Dat komt doordat in de afgelopen dertig tot veertig jaar meer vrouwen zijn gaan roken. Deze lopen daardoor ook meer kans chronische bronchitis te krijgen.

Vaak vertellen chronische-bronchitispatiënten dat ze jaren lang flink gerookt hebben, 10, 20 sigaretten per dag. Soms uiten de eerste klachten zich als een 'hoestje' dat is blijven hangen na een verkoudheid of griep. Geleidelijk – meestal na het veertigste jaar – krijgen ze meer last van hoesten en gaan bovendien slijm opgeven. Eerst alleen 's morgens, echter geleidelijk verandert dat in een hardnekkige ochtendhoest die meteen na het opstaan begint en meestal gepaard gaat met het opgeven van taai, helder wit of doorzichtig slijm.
Na dit 'ochtendtoilet' zijn er aanvankelijk overdag weinig problemen. Na verloop van tijd kan dat veranderen. Dan treden ook overdag hoestbuien op die ook weer gepaard kunnen gaan met het opgeven van slijm. Behalve het hoesten en slijm opgeven hebben mensen met deze vorm van chronische bronchitis weinig longklachten. Als ze het slijm uitgehoest hebben, kunnen ze weer vrij ademhalen.

Een andere vorm van chronische bronchitis die ook door het roken komt, levert veel meer problemen op. Naast de gebruikelijke hoest- en slijmproblemen, komt daar ook benauwdheid bij. De klachten lijken op die van astma, ze zijn echter chronisch. De Engelsen noemen deze vorm van chronische bronchitis 'small airway disease', ofwel ziekte van de kleine luchtwegen. Hierbij komen ook afwijkingen voor die bij emfyseem optreden (zie vraag 36).

Bij chronische-bronchitispatiënten zijn de luchtwegen beschadigd. Wat speelt zich daar af?

• Bij mensen die alleen maar hoesten en veel last van slijm hebben, nemen vooral in de *grote* luchtwegen – zoals de grote luchtpijp en de hoofdvertakkingen – de slijmvormende klieren in aantal en grootte toe. Daardoor wordt veel meer slijm gemaakt dan normaal. Bovendien raakt het 'lopende-bandsysteem' dat het slijm moet afvoeren (zie hoofdstuk 1, pag. 22 en 23), beschadigd. Zoals in vraag 35 is aangegeven is deze vorm van chronische bronchitis het gevolg van het roken van sigaretten. Hierdoor zijn de trilhaartjes, die moeten zorgen voor het transport van overtollig slijm naar de keel, sterk beschadigd en soms zelfs helemaal verdwenen. Waar ze nog zijn overgebleven, kunnen ze zich nauwelijks door het taaie slijm bewegen. De normale slijmafvoer schiet daardoor te kort. Hoesten is dan de enige mogelijkheid om het slijm uit de longen te krijgen. Door het overtollige slijm kunnen benauwdheidsklachten ontstaan. Maar is het slijm eenmaal opgehoest dan zijn de klachten weer verdwenen. Meten we bij deze mensen de longfunctie, dan is die meestal normaal of zo goed als normaal.

• Bij chronische-bronchitispatiënten die naast hoesten en slijm opgeven ook benauwd zijn (zie vraag 35) tast de sigarettenrook vooral de *kleine* luchtwegen aan. Ze raken net zoals bij astma ontstoken en zijn daardoor gevoelig voor gassen, dampen, temperatuurinvloeden enzovoort. Als we een kijkje in deze luchtwegen nemen, zien we dat – net zoals bij het andere type chronische bronchitis – een deel van de sterk beschadigde trilhaarcellen vervangen zijn door slijmvormende cellen. Maar bovendien zien de luchtwegen er, door de ontsteking, rood en gezwollen uit. Ze zijn vaak sterk beschadigd en sommige zijn afgesloten door littekenweefsel. Tevens zien we dat vooral de kleine luchtwegen een gekronkeld verloop hebben gekregen doordat de sigarettenrook het elastisch ophangsysteem heeft aangetast. De elasticiteit is voor een belangrijk deel verloren gegaan. Dit heeft tot gevolg dat de lucht veel minder gemakkelijk de kleine luchtwegen in en uitstroomt. Het ademhalen kost dan ook aanmerkelijk meer moeite (meer hierover in hoofdstuk 1, pag. 29 en 30).

37
Wie loopt kans chronische bronchitis te krijgen?

Bij ongeveer één op de twee sigarettenrokers ontwikkelt zich in meer of mindere mate chronische bronchitis. Dit is niet alleen een kwestie van het aantal sigaretten dat per dag over een bepaalde periode wordt gerookt, maar ook van aanleg. Er zijn families waar stevig wordt gerookt en bij wie niemand, ook niet op hoge leeftijd, longklachten heeft. Maar er zijn ook families waar matig wordt gerookt en waar bijna iedereen op middelbare leeftijd chronische bronchitis of een beginnend emfyseem heeft. Het wonen in een industrieel gebied vergroot bovendien de kans deze aandoeningen te krijgen.

Ook mensen met overgevoelige luchtwegen – vaak astmapatiënten – die roken, lopen een verhoogd risico om chronische bronchitis en emfyseem te krijgen.
We zien dan in de loop van de jaren een achteruitgang van de longfunctie ontstaan. Opvallend is dat vooral bij vrouwen die roken en gevoelige luchtwegen hebben, een sterkere longfunctiedaling optreedt dan bij mannen.

Hoewel dit allemaal argumenten zijn om niet te (gaan) roken, blijkt dat CARA-patiënten evenveel roken als mensen die geen longaandoeningen hebben.

De dokter zegt dat mijn kind bronchitis heeft. Is dat nu hetzelfde als chronische of astmatische bronchitis bij volwassenen?

Van een kind dat regelmatig wat hoest, wordt al snel gezegd dat het bronchitis heeft en er wel overheen zal groeien. Hoesten en 'zagen' komt nogal eens voor bij wat dikkere zuigelingen, peuters en kleuters. Deze kinderen zitten vaak 'vol' en hoesten en prutteleng geregeld, maar hebben daar blijkbaar geen last van. De Engelsen noemen ze 'happy wheezers', de vrolijke piepers. Deze uitdrukking zegt genoeg. De kinderen hebben blijkbaar geen last van het overtollige slijm en deze 'kinder-bronchitis' heeft niets te maken met beide in vraag 35 beschreven vormen van bronchitis, die bij volwassenen optreden. Sommige artsen denken wel dat het mogelijk een voorloper is van astma. Anderen zijn hier nog niet zo zeker van. Ze schrijven de klachten toe aan de wat nauwe luchtwegen, waar deze kinderen als ze één of twee jaar zijn, geen last meer van hebben. Toch is het verstandig ze niet bloot te stellen aan allerlei allergische prikkels, waardoor een ontwikkeling in de richting van astma bevorderd zou kunnen worden.

Er zijn echter ook kinderen die regelmatig 'vol' zitten en zo hardnekkig hoesten, dat ze bijna moeten spugen en dat soms ook werkelijk doen. Dan komt er veel taai slijm mee en is het leed weer voor een poosje geleden. Ook 's nachts kan het hoesten hinderlijk zijn. Deze symptomen zouden wel op astma kunnen wijzen, vooral als ze vaker terugkomen, de kinderen eczeem hebben en er allergie in de familie voorkomt.

Soms vindt een arts het vervelend om aan de ouders mee te delen dat hun kind astma zou kunnen hebben of astma heeft. Hij noemt het daarom 'bronchitis'. Voor veel ouders lijkt dat minder bedreigend. Het is echter verstandiger 'het beestje' bij de naam te noemen. Het kind krijgt daardoor eerder de behandeling die bij astma past. Bovendien weten de ouders dan waar ze aan toe zijn en wat hen te doen staat. Soms is het saneren van de slaapkamer al voldoende, maar in veel gevallen zullen er medicijnen aan te pas moeten komen.

Wat is het verschil tussen astma en chronische bronchitis?

Bij astma staan vooral benauwdheidsklachten centraal. Deze hebben meestal een wisselend karakter. Zoals we in vraag 38 kunnen lezen vormen kleine kinderen een uitzondering op deze regel. Bij hen is 'vol zitten' en hoesten vaak het belangrijkste probleem. Astma zien we vooral op jeugdige leeftijd en bij jonge volwassenen. Het kan echter ook op oudere leeftijd voorkomen.

Chronische-bronchitisklachten dienen zich rond het veertigste levensjaar aan. Hoesten en slijm opgeven zijn de belangrijkste problemen. Bij een deel van de chronische-bronchitispatiënten zien we echter ook benauwdheid optreden, vaak dagelijks (zie vraag 35).

Als de klachten op die van astma lijken en er dus naast het slijm opgeven ook wisselende benauwdheidsklachten optreden, spreken we wel van chronische astmatische bronchitis.

Een ander belangrijk verschil tussen astma en chronische bronchitis is dat de luchtwegen van chronische-bronchitispatiënten beschadigingen hebben opgelopen, waardoor de longfunctie blijvend lager is dan normaal. Ook met luchtwegverwijdende middelen, zoals Ventolin™, salbutamol of Atrovent™, worden bij longfunctiemetingen geen normale waarden meer bereikt.

Bij astma kan de longfunctie ook wel eens verlaagd zijn, maar deze wordt meestal weer spontaan normaal of na inhalatie van een van bovengenoemde luchtwegverwijders en/of regelmatig gebruik van luchtwegbeschermers zoals Becotide™, Flixotide™, Pulmicort™, beclometason of budesonide.

Wanneer spreken we van chronische bronchitis, wanneer van chronische astmatische bronchitis en wanneer van astmatische bronchitis?

Chronische bronchitis wordt in de medische leerboeken beschreven als 'een aandoening van de luchtwegen, waarbij een overvloedige slijmproductie op de voorgrond staat. Hierdoor ontstaan hoestklachten.'

Bronchitispatiënten hebben meestal dagelijks last van hoesten en slijm opgeven, maar soms doen zich die problemen alleen in bepaalde seizoenen voor. Er wordt daarom ook wel gezegd dat iemand chronische bronchitis heeft 'als hij gedurende minstens drie maanden per jaar en in een periode van minstens twee opeenvolgende jaren hoest en daarbij slijm opgeeft'.

Dit overvloedig slijm wordt geproduceerd door de sterk in aantal toegenomen slijmvormende klieren en cellen van de grote luchtwegen (zie vraag 35 en 36).

Wat de behandeling betreft is stoppen met roken het enige wat zinvol is. De klachten die in de volksmond niet voor niets worden aangeduid met 'rokershoest', zullen dan geleidelijk minder worden. Maar de beschadiging die de luchtwegen hebben opgelopen, herstelt slechts ten dele. En dat kost jaren (zie vraag 81).

Chronische astmatische bronchitis is een vorm van bronchitis waarbij niet de slijmproductie, maar een ontsteking van de kleine luchtwegen het belangrijkste probleem vormt. De ontsteking veroorzaakt een voortdurend samentrekken van de ringvormige spiertjes en een opzwellen van de wandjes van de luchtwegen, net zoals bij astma. Hierdoor ontstaan benauwdheidsklachten.

Deze vorm van bronchitis lijkt op astma, echter met dat verschil dat de benauwdheidsklachten en het piepen niet zo'n sterk wisselend karakter hebben. Het roken van sigaretten is weer de belangrijkste oorzaak. Daarnaast kan een ernstige vorm van astma overgaan in chronische astmatische bronchitis, ook al heeft de patiënt nooit gerookt.

De behandeling is dezelfde als bij astmapatiënten: allerlei prikkels zoveel mogelijk ontlopen. Natuurlijk is stoppen met roken is een eerste vereiste. Daardoor wordt immers alle ellende veroorzaakt en zijn de luchtwegen ontstoken. Als medicijnen zijn dagelijks luchtwegbeschermers (zie vraag 105) noodzakelijk en meestal moeten hieraan luchtwegverwijders (zie vraag 106) worden toegevoegd.

Astmatische bronchitis is een vorm van astma met een chronisch karakter. We zien het vooral bij mensen die niet over hun astma heen gegroeid zijn (zie vraag 47). De klachten blijven dus ook op volwassen leeftijd bestaan. Het wisselend karakter van het astma neemt dan echter meestal wat af. Bovendien zien we nogal eens, dat de benauwdheidsklachten minder snel en onverwacht optreden. Ook zijn de aanvallen minder heftig en houden de klachten langer aan, terwijl ze een aantal jaren daarvoor van korte duur waren. Langzamerhand doen zich steeds minder dagen voor dat de patiënt helemaal vrij is van benauwdheid of piepen. Je kunt zeggen dat het astma, waarvan men vroeger alleen maar af en toe last had, plaats heeft gemaakt voor een meer chronisch astma. Omdat bovendien geleidelijk ook wat meer slijm wordt gevormd, wordt deze vorm van astma ook wel astmatische bronchitis genoemd.

4¹
Wat is longemfyseem?

Longemfyseem is een aandoening van de longen waarbij zowel de luchtwegen, de longblaasjes als het steunweefsel waarin luchtwegen en longblaasjes zijn opgehangen, zijn aangetast (zie pag. 29 en 30).

In de volksmond staat emfyseem voor 'de rek is uit de longen'. Bij deze aandoening is inderdaad de elasticiteit van het
ophangsysteem van de longen verminderd of zelfs helemaal
verloren gegaan. Dit levert twee problemen op.
• Doordat vooral de kleine luchtwegen hun stevigheid en stabiliteit verliezen, krijgen ze een kronkelig verloop. Hierdoor
kost het veel meer moeite om bij het in- en uitademen lucht
door deze luchtwegen te laten stromen.
• Bovendien verloopt het uitademen nog eens extra moeizaam. Want hoe slapper de luchtwegen zijn en hoe meer elastische vezeltjes verloren zijn gegaan, des te gemakkelijker
worden de luchtwegen tijdens de uitademing dichtgedrukt.
Hierdoor wordt het uitademen belemmerd en blijft er steeds
wat lucht in de longen achter dat niet ververst kan worden
(zie fig. 6a en 6b, pag. 29).
Naast verlies van elasticiteit, worden bij emfyseem ook de
wandjes van de longblaasjes afgebroken. Hier ontstaan meerdere grote blazen. Daarbij gaan ook veel bloedvaatjes, die de
longblaasjes omvatten en zuurstof moeten opnemen (zie fig.
4), verloren. Het gevolg is dat minder zuurstof naar de cellen
wordt getransporteerd, waardoor de lichamelijke prestaties
van de emfyseempatiënten duidelijk worden beperkt. Ze voelen zich moe.
De longen kunnen bij sommige emfyseempatiënten zo ernstig beschadigd zijn, dat ook de afvoer van koolzuur belemmerd is. Natuurlijk leidt dit, zoals we in hoofdstuk 1 hebben
gezien, tot nog veel meer problemen.

We vatten dit ingewikkelde ziektebeeld nog even samen:
Emfyseem is een longaandoening waarbij de luchtwegen hun
stevigheid verliezen en een sterk gekronkeld verloop vertonen. Het in- en uitademen kost nu veel meer energie. Het uitademen wordt nog eens extra bemoeilijkt door het dichtdruk-

ken van de luchtwegen. Er wordt maar weinig zuurstof naar de longblaasjes vervoerd en bovendien levert de afvoer van koolzuur tijdens het uitademen problemen op.

Ook de longblaasjes zijn voor een belangrijk deel beschadigd of zelfs verdwenen, waardoor de geringe hoeveelheid zuurstof die wordt aangevoerd maar voor een deel aan de bloedvaatjes kan worden afgegeven. Als gevolg van al deze problemen ontstaat in de lichaamscellen een tekort aan zuurstof, waardoor ze onvoldoende energie kunnen leveren. Bovendien kan het koolzuur maar met veel moeite worden afgevoerd. Dan blijven de longen met 'afgewerkte lucht zitten'.

Dit alles heeft tot gevolg dat emfyseempatiënten vaak moe zijn en zich bij de minste inspanning benauwd voelen. De vraag naar zuurstof is namelijk vele malen groter dan het aanbod.

Ten slotte: emfyseem en chronische bronchitis komen vaak samen voor. Bij veel patiënten bestaan combinaties van beelden die in deze vraag en de vragen 35 en 36 zijn beschreven.

HOOFDSTUK 6

Astma bij kinderen

Hoe openbaart astma zich bij de zuigeling? Waarom is het van belang vroeg met de behandeling te beginnen?

Bij astmatische baby's en peuters staat vaak een overmatige slijmvorming op de voorgrond. We zeggen dan dat die kinderen 'vol zitten op de borst'. Zagen en hoesten zijn op deze leeftijd de meest voorkomende astmasymptomen, maar ook piepen kan voorkomen. Als het kind alleen maar 's nachts veel hoest en als dat regelmatig terugkomt, kan dit eveneens op astma wijzen, temeer als het ook in de familie voorkomt. Soms hoesten de wat oudere kindertjes zo hard en lang, dat ze moeten spugen. Als het taaie slijm eenmaal is opgehoest, is het leed weer voor een poosje geleden.

Hoesten kan allerlei andere oorzaken hebben. Er zijn echter een aantal verschijnselen die erop kunnen wijzen dat hier toch astma in het spel kan zijn. We noemen er enkele:
• Het kind heeft vaker klachten die op een luchtweginfectie lijken.
• Het vertoont tekenen van allergie:
– huiduitslag in de vorm van dauwworm.
– huiduitslag met blaasjes in het gezicht.
– als het wat ouder is, heeft het last van eczeem aan de polsjes, achter de oortjes of in de knieholtes.
– voortdurend of bij herhaling een verstopte neus.
• Astma komt in de familie voor en een of beide ouders zijn allergisch.

Vaak wordt gezegd dat kinderen met klachten zoals hierboven aangegeven, bronchitis hebben, ofschoon het astma is. Dat is onverstandig, want een dergelijke houding heeft consequenties voor de behandeling.

De laatste jaren zijn er steeds meer gegevens bekend geworden die erop wijzen, dat hoe vroeger met de behandeling begonnen wordt, des te makkelijker het astma behandeld en in de hand gehouden kan worden. Een van de allerbelangrijkste maatregelen die u zelf kunt nemen, is ervoor zorgen dat de kinderen zomin mogelijk met allergische stofjes in contact komen. Dat kan in belangrijke mate bijdragen tot een vermindering van klachten. Daarnaast is de juiste keuze van medicijnen belangrijk.

Ten slotte moeten we op een speciale categorie kinderen wijzen die vaak 'vol' zitten, regelmatig hoesten en 'pruttelen', maar daar blijkbaar heel weinig last van hebben. Bij een groot deel van die kinderen worden hun klachten toegeschreven aan wat (te) nauwe luchtwegen. Dit speelt hun dan vooral parten als ze verkouden zijn en de luchtwegen wat meer slijm maken. Als ze wat ouder worden, hebben ze daar veel minder of helemaal geen last meer van. Men ziet dan ook bij veel kinderen van twee of drie jaar dit soort klachten vanzelf verdwijnen. Met andere woorden: ze groeien er al na hun eerste of tweede levensjaar overheen. Dat is niet het geval wanneer er astma in het spel is (zie ook vraag 48).

Meestal betreft het hier wat dikkere kinderen. De Engelsen noemen ze 'happy wheezers', de 'vrolijke piepers'. Het is bij deze kleintjes dus niet duidelijk of bij hen ook een astmatisch probleem speelt. Sommige kinderartsen denken van wel, anderen weer niet (zie verder vraag 38). Geef deze kinderen daarom het voordeel van de twijfel. Zorg ervoor dat ook zij zo weinig mogelijk in contact komen met allergische stofjes.

43
Hoe openbaart astma zich bij de peuter en kleuter?

Na het tweede of derde levensjaar veranderen de klachten wat en gaan meer de 'echte astmatische kant' uit: piepen en benauwd zijn. Sommige kinderen houden echter lang het hardnekkig hoesten als enige symptoom. Veel astmatische kinderen hebben 's nachts en vooral ook 's morgens vroeg veel meer klachten dan overdag. Soms hebben ze weken of maanden nergens last van en blijken de problemen vooral in bepaalde seizoenen voor te komen zoals herfst en winter. Over het algemeen kunnen we het astma van kinderen in de leeftijd van een tot drie jaar als volgt karakteriseren:
• het piepen en de benauwdheid komen wat meer centraal te staan;
• het piepen en de benauwdheid komen meer in aanvallen voor;
• het hoesten kan heel erg hinderlijk zijn;
• de kinderen hebben wat minder last van slijm.
Ten slotte zien we bij allergische kinderen van die leeftijd wat vaker loopneuzen en oor- en keelontsteking optreden.

44
Hoe openbaart astma zich bij het schoolgaande kind?

Ruim 80% van de astmatische kinderen heeft voor het vierde
levensjaar last van hoesten, piepen en benauwdheid. Het
bronchitis-achtige beeld dat we bij de kleinere kinderen zagen, maakt op de lagere schoolleeftijd echter plaats voor regelmatig terugkerende benauwdheidsklachten. De astmatische
problemen zijn vaak seizoengebonden, vooral aan de herfst
en de winter. De ernstiger astmapatiëntjes daarentegen hebben het hele jaar door last.
Veel kinderen worden benauwd en gaan hoesten bij hardlopen, fietsen en allerlei spelletjes, waarbij ze zich meer in
moeten spannen. We noemen dit inspanningsastma (zie
vraag 27).

Uit een omvangrijk Engels onderzoek onder astmatische kinderen blijkt dat 80% van hen hier in meer of mindere mate
last van heeft. Maar het is niet alleen inspanning dat de kinderen parten speelt. Het blijkt bovendien dat 45% van hen bij
gewone huis-, tuin- en keukenactiviteiten astmatische problemen ondervindt.

Ten slotte is bekend dat nogal wat kinderen (en hun ouders)
zowel 's nachts als 's morgens vroeg geplaagd worden door
benauwdheid en piepen. Een derde van de astmatische kinderen wordt meerdere malen per week piepend of benauwd
wakker. De helft van hen gemiddeld een keer per week. Het
zal duidelijk zijn dat zowel de prestaties als het humeur van
ouders en kinderen hieronder lijden.

45
Soms heeft u het gevoel dat het astma van uw kind u helemaal in beslag neemt. Hebben andere ouders dat gevoel ook?

In vraag 21 hebben we laten zien hoeveel mensen last hebben van astma. We hebben daarbij vermeld dat het een Engels onderzoek betreft, maar in Nederland ligt de situatie waarschijnlijk niet veel anders. In dat onderzoek is ook aandacht besteed aan de zorgen die ouders om hun astmatisch kind hebben. Hieruit kwam naar voren dat:

• 22% van de ouders het gevoel heeft dat hun leven voor een belangrijk deel door het astma van hun kind wordt beheerst;
• 41% van de ouders eigenlijk niet weet wat ze met het astma van hun kind aan moeten;
• 13% van de ouders zich schaamt voor het astma van hun kind.

Vooral ouders van jonge kinderen maken zich ernstige zorgen om het astma van hun kind. Als ruim 40% niet weet wat ze ermee aan moeten, dan is enerzijds de voorlichting onvoldoende of niet goed en anderzijds zou dat kunnen wijzen op onvoldoende interesse van de kant van de ouders ten aanzien van dit probleem.

Voor iedereen zal het duidelijk zijn dat het belangrijk is dat ouders weten wat er werkelijk met hun kind aan de hand is, en hoe klachten voorkomen kunnen worden. Kennis van de medicijnen – niet alleen van de werking, maar ook of u nu werkelijk zo bang moet zijn voor bijwerkingen – is noodzakelijk. Pas dan weet u, hoe u met deze middelen om kunt gaan.

46
Waarom is het zo belangrijk dat al vroeg wordt vastgesteld of een kind astma heeft?

Hiervoor zijn een aantal redenen op te noemen.
- Een goede behandeling van de luchtwegproblemen op jonge leeftijd is van belang om de klachten te voorkomen en daardoor de ontwikkeling van het kind ongestoord te laten verlopen.
- Bovendien zijn er steeds meer gegevens die aantonen dat door zo vroeg mogelijk met de behandeling te beginnen, het ontstaan van onherstelbare beschadigingen van de luchtwegen geremd of misschien wel voorkomen kunnen worden.
- Er zijn ook gegevens die erop wijzen dat hoe vroeger met de behandeling begonnen wordt, des te minder problemen de behandeling oplevert.
- Onderzoek toont aan dat kinderen met astma bij wie regelmatig een luchtwegvernauwing werd vastgesteld, op volwassen leeftijd vaker last hebben van astma dan degenen bij wie deze afwijkingen in veel mindere mate werden vastgesteld.
- Tevens is uit onderzoek gebleken, dat kinderen die veel astmatische klachten hadden en bij wie in hun jeugd een ernstige vorm van astma bestond, grotere kans lopen om op latere leeftijd ook astmaklachten te houden (zie ook vraag 47 en 48).

Het niet herkennen van astma kan ertoe leiden dat de kinderen onnodig antibiotica en andere geneesmiddelen krijgen voorgeschreven, terwijl er goede behandelingsmogelijkheden voorhanden zijn om de te sterke gevoeligheid van de luchtwegen te verminderen (Lomudal™, Tilade™, Becotide™, Becloforte™, Aerobec™, Pulmicort™, Flixotide™, beclometason en budesonide).

Het niet herkennen van astma kan ook tot gevolg hebben dat ouders en het kind een houding aannemen van 'daar is toch niets aan te doen, daar moet je maar mee leren leven'. Dat betekent vaak onnodige beperkingen in sport en spel en wat betreft scholing, opleiding en relaties. Het onberekenbare karakter van het astma kan het vertrouwen in eigen lichaam van het kind aantasten en daarmee ook zijn zelfvertrouwen.

47

Kan een kind over zijn astma heen groeien?

Tot voor enkele jaren bestond het idee dat de meeste astmatische kinderen 'over hun klachten heen zouden kunnen groeien'. Uit diverse studies blijkt echter dat dit niet juist is. In de loop van de jaren zijn verschillende onderzoeken over dit onderwerp afgesloten. Daaruit blijkt dat 34 tot 70% van de astmatische kinderen op jonge volwassen leeftijd nog luchtwegklachten had. We kunnen dus globaal stellen dat gemiddeld 50% van de astmatische kinderen over hun astma heen groeit. Uit een van de studies blijkt echter dat bij 60% van degenen die op de leeftijd van 21 jaar geen astmatische symptomen meer hadden, toch nog een overgevoeligheid van de luchtwegen kon worden aangetoond. Dit is een belangrijk gegeven, want we weten dat overgevoelige luchtwegen kwetsbaarder zijn voor schadelijke invloeden zoals sigarettenrook. Dat betekent dus extra oppassen en vooral niet gaan roken!

Van degenen die niet over hun astma heen groeien weten we, dat ongeveer de helft min of meer dagelijks klachten houdt, terwijl de overigen zo nu en dan last hebben, vooral in bepaalde seizoenen. Maar de klachten kunnen ook weer de kop opsteken bij griep of verkoudheid en ook na het inademen van allergische of irriterende stofjes (zie ook vraag 48).

48
Is het te voorspellen of mijn kind zijn hele leven astma zal houden?

Het is moeilijk te voorspellen hoe het astma van een bepaalde persoon zal verlopen. Wel is uit onderzoek gebleken dat een kind met een ernstig astma minder kans heeft over zijn astma heen te groeien, dan een kind dat af en toe maar eens last heeft. Bij de verschillende studies is gekeken naar zogenaamde risicofactoren die het waarschijnlijk maken dat een kind zijn hele leven last van astma zal houden. Zo is gekeken naar:
– de leeftijd waarop het astma is begonnen, bijvoorbeeld vóór het tweede levensjaar;
– het hebben van eczeem of hooikoorts naast de allergische klachten;
– het vóórkomen van allergie bij het kind of in de familie (hebben één of beide ouder(s) een allergisch astma?);
– het vaak voorkomen van ernstige aanvallen, waardoor het kind dikwijls de school moet verzuimen;
– het gebruik van prednison of prednisolon en hoe vaak een stootkuur nodig is (zie vraag 111);
– de ontwikkeling van een borstkasafwijking, bijvoorbeeld een kippeborst;
– bij controle vastgestelde longfunctiestoornissen, ook al heeft het kind geen klachten;
– overgevoeligheid van de luchtwegen.

In een recente Australische studie komt men tot de conclusie dat kinderen een grotere kans lopen om ook op volwassen leeftijd astmatische klachten te houden als ze:
• minstens tot hun zevende levensjaar regelmatig astmatische problemen hadden;
• een meisje zijn;
• in de eerste zeven levensjaren meer dan tien aanvallen hadden;
• eczeem of hooikoorts hadden;
• bij hen als kind al longfunctiestoornissen konden worden vastgesteld;
• hun moeder astma had;
• hun vader astma had.
Deze gegevens worden door andere studies bevestigd. Som-

mige studies benadrukken bovendien dat roken door de moeder een belangrijke risicofactor voor het kind is.

Maar bij deze constateringen moet het niet blijven! Is er sprake van een of meer van deze problemen, dan is dat een reden te meer om heel zorgvuldig na te gaan waardoor het kind klachten krijgt en wat de beste behandeling is (zie ook vraag 46).

Tot slot: enkele jaren geleden was men nog de mening toegedaan dat klachten als overmatig hoesten en piepen op de borst in de eerste twee levensjaren erop zouden kunnen wijzen dat het kind waarschijnlijk niet over zijn astma heen zou groeien.
Dit standpunt is verlaten. Zeker de helft van de kinderen in die leeftijdscategorie hoest en piept weleens, met name als ze verkouden en grieperig zijn. Dergelijke luchtwegklachten komen echter minder voor naarmate het kind ouder wordt en de luchtwegen wat wijder worden (zie ook vraag 42).
Maar als dergelijke klachten na het tweede of derde levensjaar blijven bestaan, is de kans groter dat er astma in het spel is.

Mijn kind van tien heeft astma. Als ik hem vergelijk met andere kinderen uit zijn klas is hij een van de kleinsten. Komt dit door zijn astma of door de medicijnen?

U bent niet de enige die zich daar zorgen over maakt. Het is bekend dat de lengtegroei bij astmatische kinderen wat achter kan lopen en over het algemeen meer, naarmate er meer klachten zijn. Laten we eerst kijken hoe de lengtegroei normaal verloopt.

Groeien gaat met horten en stoten, sprongsgewijs. De eerste twee tot drie jaar groeit de baby, peuter en kleuter meestal snel. De voeding speelt in deze fase een belangrijke rol. De daaropvolgende jaren tot aan de puberteit verloopt de groei wat trager, maar wel regelmatig. Dit proces staat vooral onder invloed van het groeihormoon. Tijdens de puberteit treedt opnieuw een groeispurt op. Hierbij spelen zowel het groeihormoon als de geslachtshormonen een belangrijke rol.

Bij sommige astmatische kinderen treedt tegen het tiende jaar een groeivertraging op, die meestal blijft bestaan tot rond het vijftiende jaar. Dit gaat vaak gepaard met een wat verlate puberteit. Aan het eind van die puberteit volgt echter een groeispurt en worden de centimeters in lengte, die het kind 'nog te goed had', ingehaald. De vertraagde groei lijkt niet afhankelijk te zijn van de ernst van het astma. Bij kinderen die veel last van neusallergieën hebben, treedt ook een dergelijke groeivertraging op.

Het is niet bekend waarom nu juist astma een groeiachterstand veroorzaakt. Er wordt verondersteld dat het een gevolg is van een tijdelijke verminderde productie van het groeihormoon. Men heeft geprobeerd de groei van deze kinderen te bevorderen door ze 'versterkende' voeding te geven, maar dat leverde in de praktijk niets op. Omdat de lengtegroei na een aantal jaren wordt gecompenseerd, heeft deze tijdelijke groeivertraging op de lange termijn geen consequenties.

In het verleden werden kinderen met een ernstig astma vaak en langdurig met prednison behandeld. Van medicijnen als prednison is bekend dat ze de productie van het groeihormoon kunnen remmen. Deze kinderen bleven daardoor ook wat kleiner dan verwacht zou mogen worden. Dit was dus enerzijds het gevolg van het astma zelf en anderzijds van de prednison.

Sinds enkele jaren wordt onderzoek gedaan naar de effecten van inhalatiesteroïden (Becotide™, beclometason, Flixotide™, Pulmicort™ en budesonide) op de groei van kinderen. Het blijkt dat deze middelen voor het merendeel van de kinderen in de *gebruikelijke* doseringen geen problemen opleveren. Worden ze in *hogere* doseringen voorgeschreven, dan kan de groei bij enkele daarvoor gevoelige kinderen wat vertraagd worden. Het is echter niet aan te geven wie daar wel en wie daar niet voor gevoelig zijn. De ervaring leert dat op de lange termijn – na de puberteit – de groeiachterstand wordt ingelopen. We moeten wel bedenken dat hogere doseringen inhalatiesteroïden alleen nodig zijn bij ernstige patiënten. In die gevallen is het ook verantwoord om hogere doseringen te geven, omdat bij lagere dosering het astma dermate onrustig blijft dat het kind onder zijn niveau functioneert.

Juist omdat van tevoren niet is te voorspellen welke kinderen extra gevoelig zijn voor inhalatiesteroïden, is het belangrijk over het algemeen te streven naar de laagst mogelijke dagdosering van een inhalatiesteroïd waarmee het astma onder controle kan worden gehouden.

Is pseudo-kroep bij kinderen een uiting van astma?

Pseudo-kroep kunnen we omschrijven als een ontsteking in het strottenhoofd onder de stembanden, waardoor vooral het inademen bemoeilijkt wordt. De ontsteking wordt veroorzaakt door virussen.

Wat zijn de verschijnselen? Meestal doen de klachten zich in de late avonduren voor. Het kind wordt hevig benauwd en angstig wakker. Het inademen is vaak bemoeilijkt en gaat dikwijls gepaard met 'gieren'. Daarnaast is pseudo-kroep te herkennen aan de droge, hardnekkige blafhoest.

Een duidelijke relatie tussen astma en pseudo-kroep is niet aangetoond. Omdat beide ziektebeelden echter gepaard kunnen gaan met ernstige benauwdheidsaanvallen is het mogelijk dat men ze met elkaar verwisselt. Toch is er verschil:
• Bij pseudo-kroep horen we de typisch gierende *inademing* die gevolgd kan worden door een droge, blaffende hoest.
• Bij een astma-aanval levert vooral de *uitademing* moeilijkheden op en gaat vaak gepaard met 'piepen'. Maar daarnaast kan ook het inademen wat meer moeite kosten.

Het is belangrijk om beide soorten benauwdheid van elkaar te onderscheiden omdat de behandeling van het ene ziektebeeld verschilt van die van het andere.

51
Moeten huisdieren (cavia's, hamsters, muizen, enz.) in de klas worden verboden?

In de afgelopen decennia is duidelijk geworden dat het aantal kinderen met astma veel groter is dan vroeger werd aangenomen. Minstens 10% van alle kinderen heeft in meer of mindere mate last van langdurig hoesten, slijm opgeven, kortademigheid en/of piepen. Het merendeel van hen is allergisch. Deze kinderen hebben niet alleen vaak astmatische klachten, maar ook nogal eens last van een verstopte neus en prikkende, jeukende ogen. Ze zijn vooral allergisch voor huisstof waarin keuteltjes van huisstofmijten zitten en stuifmeel. Een aantal kinderen is echter ook overgevoelig voor huisdieren, zoals hamsters en cavia's. Het zijn niet de haren van die beesten die de last veroorzaken, maar hun huidschilfertjes (afgestoten huidcellen).

Verder blijkt dat de kinderen ook overgevoelig zijn voor hun speeksel en urine. Hoe komen de kinderen daarmee in contact? Als cavia Kees zichzelf 'wast' en likt, brengt hij met zijn tongetje speeksel en urinedeeltjes op zijn huid. Als Kees zich uitschudt of als hij geaaid wordt, vliegen droge deeltjes van zijn speeksel en urine, samen met zijn huidschilfers, de lucht in. En als dat op school gebeurt, dwarrelt dat natuurlijk de klas door.
Wanneer allergische kinderen deze huidschilfers en de speeksel- en urinedeeltjes inademen, kunnen ze last van hun luchtwegen, neus en/of ogen krijgen, tenminste als hun afweersysteem antistoffen tegen deze dierlijke producten maakt.

Maar Kees heeft nog meer op zijn geweten. Het afweersysteem van deze kinderen blijft zo lang ze op school zitten steeds maar antistoffen maken. En doordat het zo actief is en actief gehouden wordt, maakt het ook makkelijker antistoffen tegen andere allergische stofjes, zoals stuifmeel of dons, zodat de kinderen ook hiervoor allergisch worden.
Zo worden kinderen niet alleen steeds allergischer voor cavia's, maar ook voor andere allergenen. Ze bouwen – zo zeggen dokters – hun allergie op.

Door de allergische reacties die zich in hun luchtwegen afspelen, neemt de gevoeligheid van hun luchtwegen steeds meer toe, zodat ze ook last gaan krijgen van bijvoorbeeld sigarettenrook of koude lucht. Bovendien treden 's nachts en 's morgens vroeg meer klachten op en kan inspanning piepen en benauwdheid veroorzaken.

52

Wanneer spreken we bij kinderen van een licht, een matig of een ernstig astma?

In 1992 zijn daarover op een bijeenkomst van deskundigen op het gebied van kinderastma de volgende afspraken gemaakt:

Licht astma:
– af en toe lichte astmatische klachten waarbij zich soms – echter minder dan een keer per maand – wat meer problemen voordoen dan gebruikelijk;
– regelmatig perioden zonder klachten;
– incidenteel gebruik van kortwerkende luchtwegverwijders*, minder dan twee tot drie keer per week;
– piekstroom hoger dan 80% van de beste waarde;
– het verschil tussen de ochtend- en avondpiekstroom is minder dan 20%.

Licht tot matig astma:
– regelmatig wat meer astmatische klachten waarbij zich wat vaker (meer dan één keer per maand, maar minder dan één keer per week) meer problemen voordoen dan gebruikelijk;
– gebruik van luchtwegverwijders* tijdens klachten;
– het astma is echter stabiel bij regelmatig gebruik van Lomudal™ of lage doseringen inhalatiesteroïden**;
– piekstroom tussen 60 en 80% van de beste waarde;
– het verschil tussen de ochtend- en avondpiekstroom ligt tussen 20 en 30%.

Matig tot ernstig astma:
– hetzelfde als bij een licht tot matig astma, maar met meer nachtelijke symptomen (vaker dan twee keer per maand);
– meer gebruik van luchtwegverwijders* (bijna dagelijks).

* Geneesmiddelen die geïnhaleerd kunnen worden en binnen enkele minuten 'lucht geven' zoals Ventolin™, Aerolin™, Bricanyl™, Berotec™ of salbutamol.

** Inhalatiesteroïden zijn bijvoorbeeld Becotide™, Aerobec™, Pulmicort™, Flixotide™, beclometason en budesonide.

Ernstig astma:
- astmatische klachten zoals hierboven aangegeven, meer dan een keer per week;
- (bijna) dagelijks symptomen in wisselende mate;
- nachtelijke symptomen (meer dan een keer per week);
- dagelijks gebruik van extra luchtwegverwijders*;
- piekstroom is lager dan 60% van de beste waarde;
- het verschil tussen de ochtend- en avondpiekstroom is groter dan 30%.

* Geneesmiddelen die geïnhaleerd kunnen worden en binnen enkele minuten 'lucht geven' zoals Ventolin™, Aerolin™, Bricanyl™, Berotec™ of salbutamol.

53
Moeten kinderen met astma regelmatig naar de dokter?

In de afgelopen jaren zijn doelstellingen geformuleerd die bij het merendeel van de astmatische kinderen met een goede behandeling bereikt moeten kunnen worden. Met de behandeling wordt ernaar gestreefd dat de kinderen:
- een normaal leven kunnen leiden;
- vrij zijn van klachten, zowel overdag als 's nachts;
- een zo goed mogelijke longfunctie hebben en houden, zonder sterke schommelingen.

Om dit te bereiken is samenwerking tussen de dokters, de ouders en de kinderen bijzonder belangrijk. De dokter kan het immers niet alleen!
Tijdens een regelmatig bezoek aan de dokter zijn bepaalde onderwerpen steeds weer onderwerp van gesprek:
- Is het kind werkelijk klachtenvrij en zo niet, waarom niet?
- Kan het kind net als andere kinderen van zijn of haar leeftijd rennen en spelen of wordt het daarin beperkt door het astma?
- Inhaleert het kind wel goed en neemt het regelmatig zijn/haar medicijnen?
- Hebben de medicijnen bijwerkingen?
- Moeten de medicijnen misschien bijgesteld worden?
- Is er goed gehandeld toen het kind wat meer benauwd was?
- Is nader onderzoek nodig (bijvoorbeeld met een dagboek en piekstroommeter) of is misschien verwijzing naar de specialist noodzakelijk?

Door het regelmatig bezoek aan de dokter krijgen ouders – en als het kind wat ouder is, ook het kind zelf – op den duur meer inzicht in de behandeling en kunnen ook op tijden dat de arts niet direct beschikbaar is, beter zelf beslissingen genomen worden.

54
Bij ons komt veel astma, chronische bronchitis en emfyseem in de familie voor. Is het verantwoord dat wij kinderen krijgen?

Vooropgesteld moet worden dat astma een aandoening is die tegenwoordig heel goed behandeld kan worden. Op de eerste plaats weten de dokters meer over de diepere achtergronden van astma en op de tweede plaats zijn er betere en veiliger medicijnen dan een aantal jaren geleden.

Welke vragen komen zoal bij de bespreking van dit belangrijke onderwerp naar voren?
• Hoe groot is de kans dat we een astmatisch kind krijgen? De kans daarop wordt voor een belangrijk deel bepaald door het feit of astma veel in de familie voorkomt. Als in de familie en met name bij één van de ouders aanleg voor overgevoeligheid van de luchtwegen en allergie voorkomt, is de kans dat uw kind een dergelijke aanleg erft rond de 50%. Hebben beide ouders aanleg voor overgevoeligheid van de luchtwegen en allergie, dan is de kans 70%.
• En dan komt de vraag: 'Kan ik er zelf wat aan doen om het astma van mijn kind te onderdrukken?' Aanleg hebben en klachten krijgen zijn twee verschillende dingen. Bij allergische mensen ontstaan pas klachten als ze ook werkelijk met allergische stofjes in aanraking komen en dat heeft u gedeeltelijk zelf in de hand. Het is van groot belang het kind juist op heel vroege leeftijd zo min mogelijk met allergische stofjes in aanraking te brengen. Natuurlijk geldt dat ook als het kind ouder wordt. Maar we kunnen niet alles voorkomen. Kinderen met een aanleg voor astma kunnen klachten krijgen door het inademen van stuifmeel en nog andere prikkels die we niet of moeilijk uit de weg kunnen gaan (zie vraag 24).
Waar u wel op kunt letten is de inrichting van de babykamer, geen pluizige speelgoedbeestjes, geen huisdieren, een droog huis (centrale verwarming), goede ventilatie en synthetische dekbedden en kussens.
Met andere woorden: zit er CARA in de familie, dan kan uw kind de aanleg erven. En wanneer zich klachten openbaren

kunt u er zelf veel aan doen om deze tot een minimum te beperken door verstandige maatregelen te nemen en, niet te vergeten, vroegtijdig met beschermende medicijnen te beginnen (zie vraag 46 en 104).

55
Welke consequenties kan astma hebben voor de zwangerschap en de bevalling?

De zwangerschap:
Uit publikaties blijkt dat bij ongeveer één derde van de vrouwen het astma tijdens de zwangerschap min of meer hetzelfde karakter houdt. Bij één derde nemen de klachten af en bij één derde nemen ze toe. De ervaring leert dat vrouwen met een ernstige vorm van astma ook tijdens de zwangerschap meestal soortgelijke klachten houden.

Astma vormt in ongeveer 4% van de zwangerschappen een echt probleem. Het betreft dan vooral die vormen van astma die men, om welke reden dan ook, niet goed onder controle heeft.
Meestal gedraagt het astma zich in de volgende zwangerschappen niet anders dan tijdens de eerste. Ongeveer drie maanden na de bevalling vertoont het astma weer hetzelfde patroon als vóór de zwangerschap.

In de eerste 3 tot 6 maanden is het niet ongewoon dat een zwangere vrouw wat kortademig is. Het is een gevolg van de vele veranderingen die zich in haar lichaam afspelen. Deze vorm van kortademigheid is echter heel anders van aard, dan die welke bij astma optreedt.

Natuurlijk is men bang in de zwangerschapsperiode een astma-aanval te krijgen. Het is immers mogelijk dat het kind daardoor te weinig zuurstof krijgt. Gelukkig valt dit in de praktijk mee. Dit komt doordat het ongeboren kind veel compensatiemogelijkheden heeft om zuurstofdalingen in het bloed op te vangen. Maar dat neemt niet weg dat we astma-aanvallen zoveel mogelijk moeten voorkomen. Treden deze echter vaak op – dus is er regelmatig sprake van een tekort aan zuurstof –, dan kan dit een verminderde groei van het ongeboren kind tot gevolg hebben. Een laag geboortegewicht zien we overigens ook bij moeders die in de zwangerschap fors doorroken. Een belangrijk advies is daarom ook het roken te stoppen (zie ook vraag 58).

Een tweede advies is te proberen het astma tijdens de zwangerschap zo goed mogelijk onder controle te houden. Vermijd meer dan anders prikkels en omstandigheden die het astma zouden kunnen ontregelen. Omdat bijna alle medicijnen die voor de behandeling van astma nodig zijn, als veilig voor het ongeboren kind worden beschouwd, moeten zwangerschap en bevalling in de meeste gevallen zonder complicaties van de kant van het astma kunnen verlopen. Maak op een verstandige manier gebruik van de beschikbare medicijnen. Niet te veel, maar ook niet te weinig zodat er regelmatig benauwdheid optreedt.

Voor zover we weten zijn de gebruikelijke luchtwegbeschermers (Becotide™, Becloforte™, Aerobec™, Pulmicort™, Lomudal™, beclometason en budesonide) en luchtwegverwijdende middelen (als Ventolin™, Aerolin™; Bricanyl™, Berotec™, Theolin™, Theolair™ en salbutamol) onschadelijk voor het ongeboren kind. Over Atrovent™ bestaan onvoldoende gegevens om hierover een uitspraak te kunnen doen. Serevent™, een langwerkend luchtwegverwijdend middel, dat pas sinds 1992 op de markt is, wordt echter in Nederland tijdens de zwangerschap ontraden. Met de middelen Foradil™, Oxis™, Tilade™ en Flixotide™ is onvoldoende ervaring opgedaan om over de veiligheid tijdens de zwangerschap een oordeel te kunnen geven.

De bevalling:
Tijdens de bevalling doen zich gewoonlijk weinig astmatische problemen voor. Een bevalling vraagt de nodige inspanning. Daardoor maakt het lichaam meer adrenaline. Dit zorgt ervoor dat de luchtwegspiertjes zich ontspannen en ontspannen blijven.

Ten slotte:
Wie doet de zwangerschapscontrole en waar vindt de bevalling plaats?
– Over het algemeen kan gesteld worden dat als een zwangere vrouw slechts incidenteel astmamedicijnen nodig heeft, de controle en de bevalling door de verloskundige of huisarts gedaan kan worden.
– Staat een zwangere vrouw onder controle van een longspecialist en is het astma stabiel, dan kan de bevalling ook wel

door een verloskundige of de huisarts worden gedaan, maar niet zonder overleg en toestemming van de longarts en gynaecoloog.

– Levert het astma, ondanks specialistische begeleiding toch regelmatig problemen op, dan valt te overwegen de bevalling in het ziekenhuis te laten plaatsvinden onder leiding van de gynaecoloog. Natuurlijk wordt dan ook de longarts ingeschakeld.

56

Waardoor kunnen de luchtwegen van mijn kind beschadigd worden?

De longen maken tot het twintigste levensjaar een sterk groei-proces door. Enkele maanden na de geboorte is het totale op-pervlak van de 24 miljoen longblaasjes 2,8 m². Bij voltooide groei is hun aantal toegenomen tot 300 miljoen. Het opper-vlak bedraagt dan 70 tot 80 m². Dat is bijna zo groot als een tennisveld. Dit hebben we gewoonlijk voor onze dagelijkse ac-tiviteiten niet nodig, maar wel bij zware arbeid of als er op sportgebied topprestaties geleverd moeten worden.

Waardoor worden de longen in hun groei belemmerd of in het vroege leven beschadigd?
• Ernstige luchtweginfecties kunnen de groei en de ontwik-keling van de kinderlong belemmeren. Ze worden vooral ver-oorzaakt door virussen. Bepaalde virussen, zoals het mazelen-virus, kunnen de luchtwegen zodanig beschadigen dat er bronchiëctasiën ontstaan. Dit zijn zwakke plekken in de luchtwegwand, die zich als zakjes gaan uitstulpen. Vaak zijn ze gevuld met slijm en vormen daardoor een ideale broed-plaats voor bacteriën.
• Sommige virusinfecties kunnen ook een blijvende ver-hoogde gevoeligheid van de luchtwegen veroorzaken. Dit ver-oorzaakt dan astmatische klachten (zie vraag 34).
• Kinderen met een ernstig astma, en dus ook zeer overge-voelige luchtwegen, lopen meer kans op longfunctiestoornis-sen. Daarom is vroegtijdige en zorgvuldige behandeling van het astma op jonge leeftijd uitermate belangrijk.
• Uit onderzoek is bekend dat sigarettenrook de ontwikke-ling en de groei van de kinderlong kan schaden, met name tij-dens de zwangerschap en in de eerste levensjaren. Vooral de luchtwegen van astmatische kinderen zijn in dit opzicht kwetsbaar. Kinderen die al heel jong beginnen met roken of die dagelijks worden blootgesteld aan de sigarettenrook van hun ouders, lopen kans op longfunctiestoornissen (zie vraag 57 en 59 en fig. 14 op pag. 187 over de ontwikkeling van de longfunctie).

57
Ik heb twee kleine kinderen en ik rook nog steeds. Kunnen zij het daarvan aan de longen krijgen?

Kinderen die veel in rokerige huiskamers of keukens zitten, ademen die rook natuurlijk in. Het wordt steeds duidelijker dat dit zogenoemde 'passief roken' schadelijker is dan aanvankelijk werd aangenomen.
• Onderzoek heeft uitgewezen dat er vaker verkoudheid en andere luchtweginfecties bij kinderen optreden, naarmate er bij hen thuis meer gerookt wordt. Dat geldt zowel voor zuigelingen als peuters en kleuters. Bovendien hebben zuigelingen vaker last van een vergrote neusamandel en oorontstekingen.
• Ook wiegendood komt vaker voor bij zuigelingen van rokende ouders.
• Door passief roken wordt met name bij kinderen die aanleg voor astma hebben de luchtweggevoeligheid versterkt. En dat leidt weer tot meer astmatische klachten.
• Bovendien is door middel van longfunctieonderzoek aangetoond dat de longen door het passief roken in hun groei geremd kunnen worden. Bij kinderen van rokende ouders worden dan ook vaak lagere longfunctiewaarden gemeten dan bij kinderen van wie de ouders niet roken.
• Ten slotte: wordt er door ouders veel gerookt, dan kan het voor kinderen zo vanzelfsprekend zijn dat het 'erbij hoort', dat ze zelf ook gaan roken.

We zetten de gevolgen van passief roken nog eens op een rijtje. We maken daarbij onderscheid tussen de problemen die bij zuigelingen kunnen optreden en die we zien bij kleuters en schoolkinderen.

Gevolgen van passief roken voor de zuigeling:
• het kind is gevoeliger voor luchtweginfecties;
• het kind heeft vaker last van middenoor-ontstekingen;
• het kind heeft vaker last van een vergrote neusamandel;
• er is een grotere kans op wiegendood.

Gevolgen van passief roken voor de kleuter en het schoolkind:
- het kind is gevoeliger voor luchtweginfecties;
- bij aanleg voor astma heeft het kind meer last van piepen en benauwdheid;
- de groei van de longen kan erdoor vertraagd worden en de longfunctie kan lager zijn dan die van leeftijdgenootjes;
- er is een grotere kans dat ook het kind zelf gaat roken.

In vraag 58 wordt nader ingegaan op de gevolgen van sigaretten roken door de moeder voor het ongeboren kind.

58
Ik ben in verwachting en kan maar niet stoppen met roken. Is dat slecht voor mijn kind?

Aan dit onderwerp is de laatste tijd veel aandacht besteed.
Vast staat dat door het roken van de moeder:
- de kans op een lager geboortegewicht met 50% toeneemt;
- meer kans bestaat op een vroeggeboorte;
- meer kans bestaat op zwangerschapsstoornissen.

Een brochure met aanbevelingen over het stoppen met roken vermeldt: 'Elke zwangere vrouw die blijft roken, doet haar on-geboren kind tekort. Want door het roken bereikt het kind via de placenta minder bloed en daardoor minder voedingsstof-fen en zuurstof.'
Dit verklaart onder andere het lagere geboortegewicht van de-ze kinderen.

59
Wat voor klachten veroorzaakt astma bij tieners en jonge volwassenen. Wat zijn de gevolgen?

In de tienerjaren en op jong volwassen leeftijd kan het astma min of meer dezelfde problemen veroorzaken als in de lagere schoolperiode (zie vraag 44). Door allerlei bekende en onbekende oorzaken kunnen zich klachten voordoen, zowel overdag als 's nachts. De een heeft er natuurlijk meer last van dan de ander.

Inspanningsproblemen spelen op deze leeftijd een belangrijke rol. Niet alleen tijdens het sporten, maar ook bij de dagelijkse bezigheden. Naast perioden met piepen en benauwd zijn, kunnen ook weken, ja, soms maanden voorbijgaan zonder dat zich astmatische problemen voordoen.

Rond de puberteitsjaren kan het astma van karakter veranderen. We kunnen globaal de volgende mogelijkheden onderscheiden:

• Bij ruwweg de helft van de tieners verdwijnt het astma; 'ze groeien over hun astma heen' (zie vraag 47 en 48).
• Bij een kwart van de astmatische tieners neemt rond de puberteit het astma in ernst toe. Dit betekent vaker en ernstiger klachten. Dit zien we vaker bij meisjes dan bij jongens.
• Bij de overige 25% steekt het astma zo nu en dan eens de kop op, bijvoorbeeld na een griep of in het pollenseizoen.

Op jonge leeftijd komt astma twee keer zoveel voor bij jongens als bij meisjes. Rond de puberteit wordt deze verhouding gelijk getrokken.

Astma kan het leven van jonge mensen sterk beïnvloeden. Heb jij astma en behoor jij tot die groep, dan zal je je zeker in het volgende kunnen terugvinden. Juist de eerste tien of twintig jaar zoek je meer vrijheid, zelfstandigheid en nieuwe mogelijkheden. Je wil graag ergens bijhoren en meedoen. Het is dan niet zo eenvoudig om steeds weer te moeten ervaren dat de dingen als gevolg van het astma niet zo lopen als je graag had gewild.

Je merkt dat je in veel opzichten een extra handicap hebt. Je ondervindt problemen bij het sporten omdat je moet hoesten of benauwd wordt. Dit zogeheten inspanningsastma kan je in veel activiteiten hinderen. Je kunt soms plotseling medicijnen nodig hebben en je vindt dat niet iedereen dit hoeft te weten. Bovendien kunnen zich in het uitgaansleven de nodige problemen voordoen: last van sigarettenrook in cafés en disco's. Maar ook in je opleiding en bij je beroepskeuze kun je problemen ondervinden. Er zijn beroepen die je al op voorhand kunt afschrijven, omdat je daarin zeker weer je astma tegenkomt. Denk maar eens aan beroepen waarin je met dieren moet werken, waarbij je nogal eens wat stof tegenkomt of waarbij veel prikkelende stoffen vrijkomen.

Ten slotte ontmoet je nogal eens onbegrip onder je vrienden, vriendinnen, medescholieren en/of -studenten, want een aantal mensen weet niet wat astma is. Ze begrijpen niet altijd of willen niet accepteren dat je soms minder kunt dan anderen.

Maar... door het gebruik van de juiste medicijnen is het tegenwoordig voor de meeste mensen met astma mogelijk om een normaal leven te leiden, mits daarbij ook enkele spelregels in acht genomen worden (zie vraag 103). Neem je die spelregels en het medicijngebruik niet serieus dan ontstaan problemen zoals hierboven zijn beschreven.

HOOFDSTUK 7

Klachten en gevolgen van astma bij volwassenen

Op welke manier wordt een volwassene met zijn astma geconfronteerd?

• Het kan zijn dat u als kind al astma had en er nooit overheen bent gegroeid.

• Maar het is ook mogelijk dat u als kind last van astma had, dat het leek of u eroverheen was gegroeid, maar later toch weer met dezelfde problemen werd geconfronteerd.
Waarom de astmatische verschijnselen weer terugkomen is niet altijd aan te geven. Er kunnen allerlei invloeden meespelen. Misschien bent u verhuisd naar een omgeving waar de lucht meer allergische stoffen bevat of meer verontreinigd is. Ook luchtweginfecties kunnen er de oorzaak van zijn dat het astma weer gaat opspelen. En soms nemen tijdens de zwangerschap of na een bevalling de klachten toe. Ook het beroep kan de oorzaak zijn. Deze mogelijkheid moet niet worden onderschat. Er zijn veel industrieën waarbij prikkelende stoffen vrijkomen. Daardoor kan de gevoeligheid van de luchtwegen toenemen zodat uiteindelijk, eventueel in combinatie met andere factoren, (weer) astmatische klachten optreden (zie ook vraag 30).

• Hoewel astma meestal bij kinderen en jonge volwassenen voorkomt, kunnen de eerste verschijnselen zich ook pas op oudere leeftijd voordoen. Soms in aansluiting op een griep, in de overgangsjaren of na een operatie. Soms lijkt ook een emotionele gebeurtenis (het overlijden van een familielid of een scheiding) een rol te spelen. De eerste aanvallen kunnen echter ook 'als een donderslag bij heldere hemel' optreden. Allergie speelt bij astma dat op oudere leeftijd ontstaat geen rol van betekenis. Deze vorm van astma wordt dan ook het 'niet-allergisch' of 'intrinsic astma' genoemd (zie vraag 19).

61
Waarom piepen mensen met astma, chronische bronchitis en emfyseem?

Als het buiten hard stormt en de ramen of deuren staan op een kier, dan kan de wind daar doorheen gieren en fluiten. Als we ze dan een stukje openzetten, is het gieren en fluiten weg.
Dat geldt ook voor onze luchtwegen. Normaal zijn deze voldoende wijd om de lucht ongehinderd 'door te laten' zonder dat we gaan piepen.
Bij mensen met CARA vertonen de luchtwegen echter de neiging om zich te vernauwen. Hoe meer dit het geval is, des te meer bestaat de kans op een piepende ademhaling. Met een pufje van een van de luchtwegverwijdende middelen zoals Ventolin™ is het piepen meestal snel over (vergelijk open raam). Deze medicijnen ontspannen de vernauwde luchtwegen en maken ze wijder.

Bij het uitademen treedt piepen eerder op dan bij het inademen. Dat komt omdat de luchtwegen daarbij geleidelijk wat meer worden dichtgedrukt en dus nauwer worden. Bij het inademen gebeurt juist het tegenovergestelde. De luchtwegen worden wijder en daarbij piepen mensen ook veel minder (hoofdstuk 1, pag. 33).

Is iemand erg benauwd, dan is het piepen al op afstand te horen en heeft de dokter zijn stethoscoop niet nodig om dat vast te stellen. Maar bij wat minder duidelijke klachten ligt dat anders. Hij vraagt de patiënt dan zo hard en zo lang mogelijk uit te ademen en als hij dan met zijn stethoscoop piepen hoort, is dat een teken dat de luchtwegen vernauwd zijn.

62
Wat wordt verstaan onder een 'status astmaticus' en hoe komt iemand in zo'n toestand?

Onder een status astmaticus wordt gewoonlijk 'een toestand van ernstige kortademigheid tengevolge van een astma-aanval' verstaan, waarbij de patiënt niet of onvoldoende reageert op de gebruikelijke medicijnen. Dit betekent meestal dat de patiënt in het ziekenhuis moet worden opgenomen om hem of haar met behulp van intensieve medische zorg uit deze toestand te halen.

De meest voorkomende oorzaken van een status astmaticus zijn:
• Het inademen van allergische deeltjes, terwijl de luchtwegen extra gevoelig zijn en onvoldoende worden beschermd. Zo'n situatie kan zich bijvoorbeeld voordoen in de hooikoortsperiode of in de herfst als het aantal huisstofmijten sterk toeneemt.
• Luchtweginfecties die door virussen worden veroorzaakt, zoals griep of verkoudheid. Hierdoor kan de luchtweggevoeligheid tijdelijk sterk toenemen.
• Het stoppen met luchtwegbeschermende middelen, zoals prednison, Becotide™, Becloforte™, Aerobec™, Pulmicort™, Flixotide™, Lomudal™ of Tilade™, en beclometason of budesonide. Ook het plotseling of te snel dalen met prednison kan een status astmaticus tot gevolg hebben. Stopt u met de andere middelen, dan heeft dat een wat meer geleidelijke toename van de luchtweggevoeligheid tot gevolg en kunnen geleidelijk meer klachten ontstaan.
• Ten slotte kunnen sommige medicijnen ernstige astmaaanvallen en zelfs een status astmaticus veroorzaken. We denken hierbij aan 'aspirientjes' of soortgelijke pijnstillende middelen. Dit geldt ook voor bepaalde soorten harttabletten (beta-blokkers, zie vraag 24).

Het optreden van een status astmaticus betekent dat de behandeling op dat moment tekort geschoten is, want de luchtwegen blijken niet voldoende beschermd te zijn. Nauwkeurig onderzoek naar de oorzaken ervan is geboden en tevens moet worden uitgezocht hoe zo'n levensgevaarlijke situatie in de toekomst kan worden voorkomen.

63
Waarom hebben astmapatiënten 's nachts en 's morgens vroeg nogal eens last van piepen, hoesten en benauwdheid?

In de natuur kennen we zogenaamde biologische ritmen, zoals wisselingen van dag en nacht, van getijden en van seizoenen. Ze hebben vanaf het allereerste begin hun stempel gedrukt op de levende organismen. Bepaalde centra in de hersenstam vervullen een belangrijke rol in het regelen van bijvoorbeeld het slapen en het wakker zijn en alles wat daarmee samenhangt. We zeggen dan ook dat we beschikken over een biologische klok.

In de nacht daalt bij *iedereen* de productie van het bijnierschorshormoon cortisol, dat velen van u kennen als het medicijn prednison (zie vraag 111). Het onderdrukt onder andere de prikkelbaarheid van de luchtwegen. Daalt de cortisolconcentratie in het bloed, dan stijgt de prikkelbaarheid van de luchtwegen.
Ook circuleert er 's nachts wat minder adrenaline in het bloed. Zoals u weet is één van de effecten van deze stof het openhouden van de luchtwegen. Is ook daarvan de concentratie lager, dan zijn de luchtwegen dus wat nauwer. Normaliter merken mensen die geen astma hebben daar niets van.

Maar bij astmapatiënten zijn deze 'dag-en-nachtschommelingen' veel sterker. De luchtwegen zijn 's nachts prikkelbaarder en reageren daardoor eerder en sterker op allerlei stofjes en andere invloeden zoals koude lucht e.d. (zie vraag 64). De luchtwegvernauwing kan in de loop van de nacht wel 20 tot 50% toenemen. Dat wil dus zeggen dat de longfunctie 's nachts wel 20 tot 50% lager kan zijn dan overdag (zie fig. 13).

Niet iedereen merkt dat echter even goed in zijn slaap. De een wordt pas wakker als de luchtwegen voor een kwart dichtzitten en de ander als de luchtwegen voor meer dan de helft zijn vernauwd. De laatste zal bij het wakker worden meestal veel benauwder zijn dan degene die eerder heeft gemerkt dat zijn luchtwegen nauwer werden.

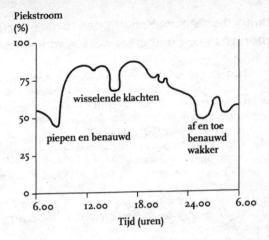

Piekstroom (%)

wisselende klachten

piepen en benauwd

af en toe benauwd wakker

Tijd (uren)

Figuur 13. *Piekstroom van een patiënt met ernstig astma.* De kenmerken van deze patiënt met zijn ernstig astma zijn klachten in de vroege ochtend, overdag af en toe problemen, 's avonds meer klachten, evenals 's nachts. Met regelmatige piekstroombepalingen zijn deze sterke dag-nachtschommelingen goed aan te tonen. (Uit: *Contrastma*, Astma Fonds.)

Astmatische klachten zoals hoesten, piepen en benauwdheid doen zich meestal rond drie tot vier uur 's nachts voor. Maar veel mensen hebben ook 's morgens vroeg last, als de slaap wat lichter wordt of als ze opstaan (zie fig. 13). De luchtwegen zijn dan nog steeds meer geprikkeld en vernauwd. Ze merken dat als ze zich wassen, aankleden enzovoort. Vaak is een pufje van een luchtwegverwijdend middel als Ventolin™, Aerolin™, Bricanyl™, Berotec™ of salbutamol dan ook het eerste wat ze op zo'n dag nodig hebben.

Nachtelijke klachten en astmatische problemen bij het opstaan wijzen erop dat het astma niet goed onder controle is (zie ook vraag 22 en 64).

64
Kunnen de problemen die 's nachts en 's morgens vroeg optreden, worden voorkomen?

Zoals we in vraag 63 hebben gezien, blijkt dat in de nacht de prikkelbaarheid van de luchtwegen toeneemt, waardoor ook meer klachten ontstaan. De luchtwegen zijn dan veel gevoeliger voor temperatuurverschillen, koude lucht, sigarettenrook, maar natuurlijk ook voor allerlei stofjes die tijdens het slapen worden ingeademd. Houd daarom met een aantal zaken rekening. Zorg dat de slaapkamer niet te koud is. Rook er niet! En voor allergische mensen gelden heel nadrukkelijk de volgende adviezen.
- Laat geen huisdieren op de slaapkamer, ook niet overdag. Hun huidschilfertjes gaan immers overal in zitten en ze zijn moeilijk te verwijderen.
- Slaap niet onder een donzen dekbed en ook het hoofdkussen moet gevuld zijn met synthetisch materiaal.
- Zorg ervoor dat de huisstofmijten zo weinig mogelijk kans krijgen. Ze voeden zich met huidschilfers en genieten van een vochtige omgeving. Deze gunstige omstandigheden treffen ze nu juist in bed aan. Door uw adem, transpiratievocht en lichaamswarmte tieren ze daarom welig in het hoofdkussen en de matras. Ze zorgen daarbij rijkelijk voor nakomelingen die nog meer keuteltjes produceren, waar u zo gevoelig voor bent (zie ook vraag 24).

Om het aantal mijten en het inademen van allergische stofjes te beperken, is het nodig dat:
- er om het matras een speciale daarvoor bestemde synthetische hoes gaat die niet doorlaatbaar is voor de huisstofmijt-allergenen; er zijn tegenwoordig diverse typen verkrijgbaar (zie vraag 86);
- de sloop om het hoofdkussen van soortgelijk materiaal is als de matrasovertrek;
- het dekbed gevuld is met synthetisch materiaal;
- het beddegoed wekelijks wordt gewassen in water van minstens 60° C;
- de bedbak waar de matrassen in liggen, regelmatig wordt gezogen; dit geldt ook voor tapijten en vloerkleed;
- de vochtigheid van het huis beneden de 50% blijft;

- de vloerbedekking van de slaapkamer bij voorkeur van glad of laagpolig materiaal is, zodat de huisstofmijten zich daar minder goed in kunnen nestelen;
- het slapen in of liggen op gestoffeerd meubilair wordt vermeden;
- kinderen geen speelgoedbeestjes, ballen en poppen krijgen met een vulling van kapok waarin huisstofmijten graag leven.

Wilt u meer informatie dan kunt u terecht bij Het Astma Fonds (tel: 033-494 18 14).

Soms kunnen de klachten door deze maatregelen al een stuk verminderen. Vaak zijn echter beschermende geneesmiddelen nodig zoals Becotide™, Becloforte™, Aerobec™, Pulmicort™, Flixotide™, beclometason, budesonide, Lomudal™ of Tilade™. Ze moeten dagelijks worden genomen.

Blijven ondanks behandeling met voldoende hoge doseringen van dit soort middelen toch nachtelijke of vroege ochtendklachten bestaan, dan kunnen de langwerkende luchtwegverwijders, zoals Serevent™, Foradil™ en Oxis™, een verbetering betekenen. Tweemaal daags doseren, evenals de inhalatiesteroïden, is meestal voldoende (zie vraag 103).

We vatten dit belangrijke onderwerp nog even samen.

De luchtwegen van astmapatiënten en ook die van patiënten met chronische bronchitis en emfyseem zijn 's nachts en 's morgens vroeg prikkelbaarder dan de rest van de dag. Het is daarom belangrijk om vooral ook 's nachts zoveel mogelijk datgene uit de weg te gaan, waardoor ze geprikkeld worden.

Vaak moeten bovendien geneesmiddelen worden genomen die de prikkelbaarheid verminderen. Dat zijn de beschermende middelen. Neem ze dagelijks, want de luchtwegen hebben dagelijks bescherming nodig.

De luchtwegen zijn 's nachts en 's morgens vroeg nauwer. Soms is dat met een pufje van de 'blauwe' luchtwegverwijders (Ventolin™, Aerolin™, Bricanyl™, Berotec™, salbutamol of Atrovent™) verholpen. Treden ondanks goede bescherming met luchtwegbeschermers klachten op, dan kunnen deze met langwerkende luchtwegverwijders (Serevent™, Foradil™ en Oxis™) worden voorkomen. Dit geldt niet alleen voor de nacht, maar ook voor de vroege ochtenduren en overdag.

HOOFDSTUK 8

Klachten en gevolgen van chronische bronchitis en emfyseem

Welke verschijnselen duiden op chronische bronchitis en welke op emfyseem?

• Bij astmapatiënten die van jongs af aan af en toe eens last hebben van hoesten, piepen of benauwdheid, kan het klachtenpatroon in de loop van de jaren geleidelijk veranderen. In plaats van *af en toe* maar eens klachten, gaat er geen dag voorbij zonder hoesten, slijm opgeven en benauwdheid. Dit is kenmerkend voor iemand die vroeger astma had en bij wie zich geleidelijk een chronische (astmatische) bronchitis ontwikkeld heeft.

• Het verhaal van de chronische-bronchitispatiënt die als kind nergens last van had en deze aandoening door het roken van sigaretten heeft opgelopen, is anders:
'Ik ben Jan. Ik ben nu 45. Ik rook al vanaf mijn vijftiende zo'n 20 sigaretten per dag. Soms wat meer, maar ook wel eens wat minder. Ik heb verschillende keren geprobeerd te stoppen met roken, maar dat liep steeds op niets uit. Als kind had ik nergens last van. Toen ik 20 was, moest ik al vaker hoesten dan anderen, vooral als ik verkouden was of na een griep. Vanaf mijn veertigste hoest ik veel meer, vooral 's morgens vroeg, net als ik mijn bed uitkom. Maar als ik al dat taaie witte slijm kwijt ben – ja, het is wel een vies verhaal, soms zijn het wel een paar kopjes die ik ophoest – dan heb ik de hele dag nergens last van. Ik zou moeten stoppen, maar dat is niet zo eenvoudig.
Nee, dan mijn broer Henk, die is 60. Hij rookt ook net zoveel als ik. Tot voor enkele jaren moest hij ook alleen maar 's morgens hoesten. De laatste tijd is hij echter hard achteruitgegaan. Als hij maar even iets doet, is hij al benauwd en moe. De dokter zegt dat hij naast de chronische bronchitis nu ook emfyseem heeft gekregen. Als ze mij dat zouden vertellen, zou ik gelijk stoppen met roken...'

• Het verhaal van emfyseempatiënten is niet zoveel anders. Neem bijvoorbeeld het verhaal dat de vader van Jan en Henk indertijd vertelde:
'Ik ben nu 70. Net zoals mijn jongens heb ik mijn hele leven flink gerookt tot vorig jaar, toen moest ik wel stoppen. Ik moest aan de zuurstof...

Ik heb al jaren last van wat hoesten met slijm erbij. Geleidelijk kreeg ik minder lucht. Toen ben ik naar de dokter gegaan en die vertelde, nadat hij mij naar de specialist had gestuurd voor een longfunctie-onderzoek, dat minder dan de helft van mijn longweefsel nog maar goed werkt. "Het is longemfyseem," zei hij. Dat komt door de sigaretten. Elk jaar ging mijn longfunctie verder achteruit. Ik had nauwelijks genoeg adem om even door mijn tuin te lopen. Alle reserve was op. Toen kreeg ik zuurstof en ik moet zeggen: Het is wel lastig, maar ik kan veel meer. Ja... ik mis mijn sigaretje wel!' (Zie ook vraag 120.)

66

Waarom komt een patiënt met chronische bronchitis of emfyseem 's morgens vroeg zo langzaam op gang?

Hiervoor zijn verschillende redenen:
- Een patiënt met chronische bronchitis en emfyseem heeft een soortgelijk dag-en-nachtpatroon als een astmapatiënt (zie vraag 63). Ook bij hem of haar zitten de luchtwegen 's nachts en 's morgens vroeg wat meer dicht dan overdag.

Zo'n patiënt is meestal vroeg wakker en heeft soms twee of drie uur nodig om 's morgens op gang te komen. Uit bed komen, wassen en aankleden vragen erg veel energie, en daarvoor heeft een patiënt met chronische bronchitis of emfyseem in de eerste ochtenduren net te weinig zuurstof. Tegen tien, elf uur worden de luchtwegen weer wat wijder en kan hij wat meer. Maar er is nog iets wat deze patiënt vooral 's morgens parten speelt.

- Bij chronische-bronchitispatiënten en een deel van de emfyseempatiënten wordt veel meer slijm gemaakt dan de luchtwegen kunnen verwerken. In hoofdstuk 1 (pag. 23-24) is uitgelegd hoe dat komt.

Overdag wordt het overtollige slijm gemakkelijk opgehoest, omdat dit door het lopen en andere activiteiten 'loskomt'. 's Nachts is dat anders. Dan gaat de slijmvorming gewoon door, terwijl er niets of weinig afgevoerd wordt. Tijdens het slapen blijft het slijm min of meer op zijn plaats. Maar als de patiënt rechtop gaat zitten, verandert deze situatie. Het slijm zakt dan naar beneden, de kleine luchtwegen in. En dat prikkelt de luchtwegen. Dat is ook het geval bij het uit bed komen. Daardoor treden juist dan vaak hardnekkige en langdurige hoestbuien op, die pas ophouden als de luchtwegen weer schoon gehoest zijn.

Dergelijke aanvallen kosten enorm veel energie en dus ook veel zuurstof. En daar hebben deze patiënten nu juist zo'n tekort aan. Tijdens het hoesten zijn deze mensen dan ook soms zo benauwd dat ze zelfs blauw aanlopen.

De adviezen voor astmapatiënten met dergelijke klachten zijn voor een deel ook van toepassing op patiënten met chronische bronchitis (zie vraag 64). Sommige patiënten hebben baat bij inhalatiesteroïden zoals bijvoorbeeld Becotide™, Flixotide™ of Pulmicort™. En ook langwerkende luchtwegverwijders als Serevent™, Foradil™ en Oxis™ kunnen de toestand duidelijk verbeteren. Soms zijn hiervoor hogere doseringen nodig dan bij astmapatiënten gebruikelijk zijn. Anderen reageren beter op Atrovent™ of middelen als Theolin Retard™, Theolair Retard™ of Unilair™. In ernstige gevallen kan prednison nodig zijn.

Daarnaast kan fysiotherapie gewenst zijn. Daarbij wordt aan heel wat punten aandacht geschonken, zoals de methoden die moeten worden aangewend om het overtollig slijm met zo weinig mogelijk energie kwijt te raken. Verder wordt nagegaan of efficiënt gebruik gemaakt wordt van de beschikbare zuurstof en of de patiënt zo zuinig mogelijk met zijn lichaamsenergie omspringt. Bovendien wordt er bekeken hoe de patiënt met zo min mogelijk energie kan ademen.

Het zal duidelijk zijn dat dit soort problemen niet alleen veel aandacht en inzet vragen van de patiënt, maar ook van zijn of haar partner. Het is dus zinvol om zich in dergelijke situaties af te vragen of men de problematiek wel aan kan. Soms zijn andere hulpverleners nodig zoals een maatschappelijk werk(st)er, een CARA- of wijkverpleegkundige en niet te vergeten de thuiszorg om een en ander weer op 'de rails te zetten'.

67

Waarom vermageren sommige emfyseempatiënten? Waar duidt dat op?

In de laatste tien jaar is men meer aandacht gaan besteden aan de voedingstoestand van emfyseempatiënten. Het is al lang bekend dat sommigen van hen in de loop van een aantal jaren meerdere kilo's aan lichaamsgewicht verliezen, hoewel ze niet minder zijn gaan eten of meer zijn gaan bewegen. Uit een onderzoek dat in 1989 in de Verenigde Staten werd uitgevoerd, bleek dat bijna een kwart van de 779 emfyseempatiënten met ernstige longfunctiestoornissen 10% of meer onder hun eigenlijke gewicht zat. Bij deze mensen waren bovendien de ademhalingsspieren zwakker en bestond een verhoogde vatbaarheid voor infecties.

De verslechtering van de voedingstoestand is op meer oorzaken terug te voeren. Vaststaat dat het ademhalen voor de ernstiger emfyseempatiënten een vermoeiende zaak is, vooral omdat hun ademhalingsspieren in veel gevallen verzwakt blijken te zijn. En toch moeten ze hun werk doen. Het lichaam vraagt immers om zuurstof. Het kost deze mensen wel 10 tot 20% meer energie om lucht door de luchtwegen te 'pompen'. Hun lichaam gebruikt dus alleen al in rust meer energie dan normaal. Dat betekent dat zowel meer calorieën als meer zuurstof nodig zijn. Als de patiënt niet meer eet, kan het niet anders of het lichaam gaat roofbouw op zichzelf plegen. Het gevolg is dat het gewicht langzaam daalt. Vaak gaat dat gepaard met een zwakker worden van de ademhalingsspieren.

Om dit proces te doorbreken moet gezorgd worden voor extra voeding. Dit kan de nodige problemen met zich mee brengen.
Emfyseempatiënten voelen zich door hun ernstige longproblematiek niet fit. Dat is vaak een van de oorzaken van de verminderde eetlust. Daarnaast is het mogelijk dat het eten op zich zoveel moeite kost, dat ze hun maaltijd nogal eens laten staan. Dat betekent dat ze nauwelijks voldoende voedsel binnenkrijgen om hun gewicht onder 'normale' omstandigheden op peil te houden en vaak te weinig energie hebben om daar letterlijk en figuurlijk nog een schepje bovenop te doen.

Extra aandacht voor de voeding van deze patiënten is dus belangrijk. Alleen een bekertje melk meer en bijvoorbeeld een ei extra per dag zijn vaak niet voldoende.

Onderzoek moet uitmaken hoeveel calorieën er daadwerkelijk nodig zijn om aan de energievraag te voldoen. Met behulp van een diëtiste kan worden uitgezocht wat voor soort voeding het beste is om de patiënt weer op gewicht te brengen. Het kan zijn dat de voeding wel 30% of meer calorieën moet bevatten, dan men gewoonlijk dagelijks eet. Ook kan (extra) zuurstof tijdens het eten noodzakelijk zijn.

Goede dieetmaatregelen lonen bij een aantal patiënten zeker de moeite. Als ze weer normaal op gewicht zijn, blijken de ademhalingsspieren weer meer aan kracht gewonnen te hebben. Dat draagt ertoe bij dat 'het gevoel van kortademig zijn' minder wordt. Daardoor kan ook het uithoudingsvermogen weer toenemen.

HOOFDSTUK 9

Astma, chronische bronchitis, emfyseem en luchtweginfecties

68
Levert griep echt zoveel problemen op voor CARA-patiënten?

Griep wordt veroorzaakt door virussen. Dat zijn microscopisch kleine deeltjes die op stofdeeltjes en druppeltjes 'meelif-
ten' en zich zo door de lucht verplaatsen. Ademen we ze in,
dan kunnen ze – afhankelijk van de afweer van de 'gastheer'
– de cellen van onze slijmvliezen van de neus en de luchtwegen binnendringen. Meestal zijn virussen de verwekkers van
luchtweginfecties.
Jaarlijks wordt ongeveer 5% van de Nederlandse bevolking in
de periode november tot maart door het griepvirus geveld. Afhankelijk van hun aanvalskracht kunnen ze zich in een hoog
tempo vermenigvuldigen. Hierdoor worden er binnen korte
tijd vele nieuwe virussen geproduceerd. Als gevolg hiervan
kunnen neus-, oog- en luchtwegklachten optreden. Virussen
die agressiever zijn kunnen zich via de bloedbaan in het lichaam verspreiden, waardoor algemene symptomen ontstaan, zoals koorts, hoofdpijn, spierpijn en koude rillingen.

Er zijn ontzettend veel soorten virussen. Enkele voelen zich
vooral aangetrokken tot de luchtwegen. Binnen deze groep
kennen we virussen die:
• alleen een neusverkoudheid veroorzaken;
• tevens de luchtwegen aanvallen en zo een 'acute bronchitis' veroorzaken;
• zich zeer agressief gedragen en binnen een dag zo'n ernstige longontsteking veroorzaken, dat gezonde jonge mensen
hieraan overlijden (het Influenza A- en Influenza B-virus zijn
hierom berucht).

De vele Nederlanders die elk jaar weer door de griep worden
getroffen, hebben meestal een dag of vijf klachten en dan gaat
het wel weer. Oudere mensen en patiënten met longproblemen, maar ook hart-, nier- en diabetespatiënten en enkele andere categorieën chronische patiënten lopen een verhoogd risico. Jaarlijks worden zo'n 20.000 mensen als gevolg van
griep in het ziekenhuis opgenomen en overlijden er gemiddeld 2000 aan deze infectie. Het zijn meestal de complicaties
van de griep die de ernstige problemen veroorzaken.

Voor CARA-patiënten die op allerlei prikkels – en vooral op virusinfecties – heftig met hun luchtwegen kunnen reageren, betekent een griepje niet alleen een paar dagen verkouden zijn en wat meer hoesten. Bij hen geeft griep nogal eens aanleiding tot benauwdheidsklachten. Deze kunnen bij astmapatiënten ernstige vormen aannemen en zelfs tot astma-aanvallen leiden. Bij mensen met chronische bronchitis en emfyseem vormen ze regelmatig aanleiding tot een sterke toename van de longklachten waarvoor zelfs een ziekenhuisopname nodig kan zijn.

Voor patiënten met een chronische luchtwegaandoening is de kans dat ze aan of als gevolg van een griep overlijden 240 keer groter dan voor gezonde mensen! De combinatie van luchtwegaandoeningen en hartproblemen vergroot deze kans vele malen meer. Dit is dan ook de reden dat zowel CARA- als hartpatiënten met nadruk wordt geadviseerd in het najaar een griepvaccinatie te halen (zie vraag 72). Dit geldt ook voor andere chronische patiënten en mensen boven de 65 jaar.

69
Waarom nemen de luchtwegklachten bij astma- en chronische-bronchitispatiënten toe tijdens griep?

Hiervoor zijn een aantal redenen te noemen.

• Op de eerste plaats hebben griepvirussen zelf de eigenschap om de luchtwegen te vernauwen. Daardoor worden klachten veroorzaakt zoals piepen en benauwdheid. Maar die virussen hebben nog meer op hun geweten.

• In hoofdstuk 1 is aangegeven dat griepvirussen een tijdelijke beschadiging van de luchtwegen kunnen veroorzaken. De trilhaarcellen, die de luchtwegen aan de binnenkant bekleden, worden hierdoor aangetast. Bij ernstige infecties raken deze cellen zelfs los van hun onderlaag, waardoor ze hun beschermende functie verliezen. Er ontstaan als het ware grote en kleine schaafwonden in de luchtwegen, waardoor de beschermende barrière tegen alles wat ingeademd wordt (allergische deeltjes, prikkelende gassen, koude lucht, mist enz.) verdwenen is.

• Het gevolg is dat de gevoelszenuwen van de luchtwegen (in hoofdstuk 1 'snuffelpaaltjes' genoemd) door de luchtwegbeschadigingen min of meer onbeschermd aan de oppervlakte komen te liggen. Ze registreren daardoor veel eerder allerlei prikkels (koude en verontreinigde lucht, mist enz.) die de luchtwegen binnendringen. Met andere woorden: de luchtweggevoeligheid is als gevolg van griepinfecties toegenomen. De patiënt merkt dit tijdens de griepperiode, maar ook nog daarna.

• Bovendien komen de afweercellen die de luchtwegen gewoonlijk beschermen (zie hoofdstuk 1) meer aan de oppervlakte te liggen. Deze worden hierdoor gemakkelijker 'uitgedaagd' en zo ontstaan er overmatige afweerreacties in de vorm van ontstekingen van de luchtwegwand.

De luchtwegvernauwende effecten van het griepvirus zelf duren een dag of vijf. De ergste astmatische problemen zijn dan ook meestal achter de rug. Maar... het muisje heeft een betrekkelijk lange staart, want het herstel van de luchtwegen duurt lang en neemt vier tot zes weken in beslag. In die periode blijven de luchtwegen van astma- en chronische-bronchitis-patiënten extra gevoelig en komen hoestklachten, piepen en benauwdheid vaker voor.

Na herstel van de luchtwegen – meestal zes weken later – worden de gevoelszenuwen weer beter beschermd. Ook de af-weercellen zijn dan weer minder toegankelijk voor (allergi-sche) stofjes. Behalve dat daardoor minder hoestklachten op-treden zullen ook het piepen en de kortademigheidsklachten afnemen.

Waarom heb ik nadat ik griep heb gehad nog een aantal weken last van hoesten en benauwdheid bij hardlopen?

In het antwoord op vraag 69 is aangegeven dat griepvirussen de luchtwegen tijdelijk beschadigen. Daardoor komen hun 'gevoelszenuwen', die registreren wat er in de luchtwegen gaande is, meer open en bloot te liggen en zijn dan gemakkelijker te prikkelen. Ze registreren eerder dat er bijvoorbeeld verontreinigde lucht wordt ingeademd. Dat veroorzaakt dan hoestklachten of er treedt benauwdheid op. Op een dergelijke manier kunnen ze ook reageren op het inademen van koude en droge lucht.

Om de vraag goed te kunnen beantwoorden is het noodzakelijk om eerst eens te kijken wat er eigenlijk gebeurt als we hardlopen of fietsen. We ademen dan sneller en voornamelijk via de mond en niet, zoals in rust, door de neus. De lucht krijgt daardoor niet de kans om op te warmen, zodat we betrekkelijk koude lucht inademen. Door het snellere ademen wordt bovendien vocht aan de luchtwegen onttrokken.

Deze koude prikkels en het vochtverlies zijn voor overgevoelige luchtwegen aanleiding om zich samen te 'trekken', met de bekende gevolgen: een wat benauwd gevoel, hoesten en piepen tijdens en enige minuten na het begin van het hardlopen. We noemen dit fenomeen inspanningsastma (zie vraag 27). Het treedt eerder op naarmate de luchtwegen gevoeliger zijn en het buiten koud en droog is.

Wat kan ik zelf doen om te voorkomen dat ik door griep en verkoudheid meer klachten krijg?

Zoals u waarschijnlijk wel weet, kunnen we bepaalde soorten griep voorkomen door in het najaar een griepinjectie bij de dokter te halen (zie vraag 72). Heeft u dat niet gedaan of heeft u ondanks een griepprik de griep te pakken, dan zit er weinig anders op dan deze 'uit te zieken'. En als koortswerende middelen nodig zijn, neem dan paracetamol en geen aspirine, want sommige astmapatiënten kunnen daar niet tegen (zie vraag 31).

Tegen de *gevolgen* van griep kunt u zich echter wel degelijk wapenen. Zoals we gezien hebben (vraag 69), stelt griep astma- en chronische-bronchitispatiënten voor drie problemen:
• het griepvirus zelf kan tot een astmatische reactie aanleiding geven;
• de luchtwegen raken beschadigd;
• allergische stofjes dringen gemakkelijker de luchtwegen binnen.

Al deze fenomenen leiden tot een tijdelijk probleem: een tijdelijke toename van de gevoeligheid van de luchtwegen. Daarom reageren de luchtwegen dan om het minste of geringste met:
• het aanspannen van de luchtwegspiertjes;
• het opzwellen van de wand van de luchtwegen;
• meer slijmvorming.

Wat moet u doen om de gevolgen van de griep zo goed mogelijk op te vangen:
• Bent u grieperig of verkouden, pas dan extra op voor allergische prikkels; vermijd ze, want u bent er juist dan heel 'vatbaar' voor.
• Probeer de overgevoeligheid van de luchtwegen te verminderen door de inhalatiesteroïden zoals Becotide™, Becloforte™, Aerobec™, Pulmicort™, Flixotide™, beclometason of budesonide tijdelijk te verdubbelen. Neem 's morgens en

's avonds eenvoudig twee keer zoveel inhalaties als u gewend bent. Ga hiermee niet alleen door tot u weer 'de oude' bent maar voeg er nog eenzelfde aantal dagen aan toe als u nodig had om weer 'de oude' te worden. Een voorbeeld: duurt het een week tot u weer helemaal goed bent (u zit dan weer in de groene zone, zie vraag 22), ga dan *nog* een week langer door met de dubbele dosering voordat u weer teruggaat naar uw gebruikelijke medicijnschema.

• Ga aan de hand van uw klachten, het vaker nodig zijn van een 'blauwe puf' (zoals Ventolin™, Aerolin™, Bricanyl™, Berotec™ of salbutamol) en de piekstroommeter na of u de situatie tijdens en na zo'n griep goed in de hand kunt houden. Aan de hand daarvan kunt u inschatten of u in de groene zone blijft of af naar oranje 'afglijdt'. Misschien komt u zelfs in rood (zie vraag 22). In het laatste geval is medische hulp zeker op zijn plaats. Vaak is dan een prednisonkuurtje nodig (zie vraag 111).

Wie komen voor een griepvaccinatie in aanmerking en waarom? Wat zijn de bijwerkingen?

Als we een virusinfectie oplopen zoals mazelen, dan maakt ons lichaam hiertegen antistoffen. Deze beschermen ons meestal een heel leven lang tegen het mazelenvirus. Ook na een griep maakt het lichaam antistoffen tegen het virus dat het lichaam heeft aangevallen. Maar griep kun je vaker krijgen, ja zelfs jaarlijks omdat het door meer soorten virussen veroorzaakt kan worden. In de loop van de jaren bouwen we tegen vele verschillende typen griepvirussen antistoffen op. Maar we kunnen steeds weer door nieuwe worden aangevallen of door een terugkerende 'oude bekende' die zijn structuur in de loop van de jaren gewijzigd heeft. Daar hebben we dan nog geen antistoffen tegen gevormd zodat deze virussen ons opnieuw griep kunnen bezorgen.

Nieuwe griepvirussen worden vaak het eerst in het Verre Oosten waargenomen. Het duurt dan enige tijd voordat de eerste ziektegevallen in Nederland worden gesignaleerd. In die tussentijd hebben laboratoria het vaccin kunnen aanmaken, dat ons ook tegen deze nieuwe stammen kan beschermen.

Griepvaccinaties bevatten dus oude, al lang bekende steeds terugkerende virusstammen, maar ook nieuwe typen die kort geleden elders zijn ontdekt. Ze zijn zo gemaakt, dat de ziekmakende eigenschappen van de virussen verloren zijn gegaan. Ze worden echter na inspuiten in ons lichaam wel door ons afweersysteem als ongewenste indringers herkend zodat er antistoffen tegen gevormd kunnen worden. Met andere woorden: als de dokter het griepvaccin in het lichaam heeft ingespoten, ontwikkelen zich binnen een aantal weken antistoffen tegen de ingespoten virussen, maar we worden er in het algemeen niet ziek van.
Worden we nu in een griepperiode met deze virussen besmet, dan worden deze door ons afweersysteem herkend. De antistoffen gaan ze te lijf en maken ze onschadelijk zonder dat griepvirussen de kans krijgen om het lichaam ernstig ziek

te maken en daar van alles te ontregelen.

Maar een 'griepprik' kan ook bijwerkingen hebben:

• een aantal mensen zijn er een paar dagen hangerig en vervelend door, anderen krijgen zelfs griepverschijnselen met 'alles erop en eraan';

• er zijn astmapatiënten die er kortademigheidsklachten door krijgen, het astma wordt er dus door ontregeld;

• mensen die overgevoelig zijn voor eiwitten, lopen kans (hoewel zelden) op allergische verschijnselen.

Ondanks deze bijwerkingen moet in het algemeen gesteld worden dat het voor CARA-patiënten verstandig is in het najaar een 'griepprik' te halen, tenzij hierdoor eerder problemen zijn ontstaan zoals net zijn aangegeven. De voor- en nadelen moeten dan tegen elkaar afgewogen worden.

Hoe groot is de bescherming? Een griepvaccin, waarin de steeds terugkerende type virussen zitten, beschermt in 70 tot 90% tegen een echte vorm van griep. Maar niet tegen een lichte verkoudheid ('koudje'). Sommigen verbinden hieraan de verkeerde conclusie dat griepvaccinaties maar weinig effect hebben.

Wie komen voor jaarlijkse griepvaccinatie in aanmerking?

• Mensen boven de 65 jaar. Zij hebben vaak een verminderde afweer en lopen daarom meer kans op een ernstiger verloop van de griep en de complicaties ervan.

• CARA-patiënten, vanwege de kans op een toename van astmatische klachten tijdens en na de griep en het gevaar dat daarna een bacteriële ontsteking ontstaat (zie vraag 73).

• Patiënten met hart- en vaatziekten, omdat een ernstige griep de bloedcirculatie sterk kan belasten.

• Diabetespatiënten, vanwege de grote kans op ontregeling van hun suikerziekte.

• Andere categorieën chronische patiënten, zoals nierpatiënten, bij wie het risico bestaat dat ze door de griep uit hun evenwicht raken.

Veel gestelde vragen met betrekking tot dit onderwerp zijn onder andere:

• Kunnen we mensen met chronische aandoeningen niet beter gewoon griep laten krijgen, want dan bouwt het lichaam tenminste zelf de afweerstoffen op en dat is toch veel beter?

Het antwoord is nee, want op de eerste plaats bieden we virussen een grote kans om infecties te veroorzaken bij mensen met een verzwakt afweersysteem, zonder dat we deze met doeltreffende medicijnen kunnen bestrijden. Op de tweede plaats bouwen dergelijke mensen na een griepinjectie wel degelijk zelf antistoffen op, maar dan zonder het risico van griep te krijgen met alle mogelijke complicaties van dien.

• Kunnen ook kinderen tegen griep ingeënt worden?
Het antwoord is ja. Het Nederlandse advies luidt: kinderen vanaf 4 jaar kunnen tegen griep ingeënt worden: tussen 4 en 10 jaar twee keer de helft van het vaccin met een tussenliggende periode van een maand. Vanaf 10 jaar kan de dosis van volwassenen gegeven worden.

73
Wat zijn bacteriële luchtweginfecties? Wat zijn de verschijnselen en waaruit bestaat de behandeling?

Bacteriën zijn eencellige micro-organismen die onder een gewone lichtmicroscoop zichtbaar zijn. Ze leiden een zelfstandig leven en vermenigvuldigen zich door deling. Als er geen bacteriën zouden zijn, zouden we niet kunnen leven. We vinden ze dan ook in onze mond, de keel en darmen. Gewoonlijk leven we in vrede met deze kleine schepsels. Ook bestaat er tussen de verschillende soorten bacteriën een evenwicht.

Maar als bacteriën de kans krijgen, proberen ze het lichaam op een of andere zwakke plek aan te vallen. Wanneer bijvoorbeeld de luchtwegen beschadigd zijn, kunnen bacteriën gemakkelijker binnendringen. Dit kan bijvoorbeeld het geval zijn na een virusinfectie (zie vraag 68). Maar ook bij chronische-bronchitis- en emfyseempatiënten laat de afweer van de luchtwegen vaak veel te wensen over. Bovendien wordt door het roken van sigaretten het afweersysteem nog meer verzwakt. Daar liggen dan kansen voor de wat agressievere bacteriën.
De soms ernstig beschadigde luchtwegen van chronische-bronchitis- en emfyseempatiënten bieden de bacteriën volop broedplaatsen in uitstulpingen van de luchtwegen, waarin zich vaak veel slijm ophoopt. Deze noemen we bronchiëctasiën. Zo vormen zich haarden met bacteriën, waaruit steeds weer luchtweginfecties ontstaan.

Bacteriën krijgen het nog gemakkelijker en veroorzaken nog meer infecties als het lichaam in een minder goede conditie is of de algemene afweer is verzwakt. Dit kan bijvoorbeeld het geval zijn bij suikerziekte, als men een kwaadaardige ziekte heeft, bij het gebruik van hoge doseringen prednison (zie vraag 111) of bij aids.

De verschijnselen van bacteriële luchtwegontstekingen kunnen sterk wisselen. Ze variëren van zich wat minder goed voelen, lusteloosheid en moe zijn tot koorts, meer hoesten, geel-groen slijm opgeven en benauwdheidsklachten. Kenmerkend is de verandering van de kleur en het aspect van het slijm dat opgegeven wordt. Neemt het een groene kleur aan, dan betekent dat nogal eens een luchtweginfectie. Bij dergelijke patiënten zijn regelmatig kuren antibiotica nodig (amoxicilline, Clamoxyl™, doxycycline, Bactrimel™, Augmentin™) om steeds weer die bacteriën, die de luchtweginfecties veroorzaken, de kop in te drukken.

Mensen die vaak luchtweginfecties hebben, krijgen soms dagelijks antibiotica. Alhoewel hierdoor vaak de frequentie van luchtweginfecties afneemt en de patiënt zich er beter door voelt, is dit niet zomaar een behandeling waartoe lichtvaardig wordt besloten.

Op de eerste plaats bestaat de mogelijkheid dat bacteriën na enige tijd niet meer op de antibiotica reageren; ze zijn er 'resistent' voor.

Een langdurige behandeling met antibiotica kan bovendien het evenwicht tussen de vele soorten bacteriën die zich in het lichaam bevinden, verstoren. Het gevaar bestaat dan dat de wat zwakkere het onderspit gaan delven en de agressievere, die door die andere soorten onder de duim gehouden werden, als het ware 'uitgeselecteerd' worden. We blijven dan zitten met de veel agressievere bacteriesoorten (een bekende is de zogenoemde 'pseudomonas aeroginosa'), die niet meer door de andere in bedwang gehouden worden, en waarvan de ervaring leert dat ze veel slechter op de gebruikelijke antibiotica reageren. Luchtweginfecties die door deze bacteriesoort veroorzaakt worden, zijn dan ook alleen maar met 'zwaardere soorten' antibiotica te behandelen. Deze veroorzaken ook meer bijwerkingen.

Artsen geven er daarom liever de voorkeur aan patiënten met kortere (7 tot 14 dagen) antibioticakuren te behandelen dan deze maanden achter elkaar te geven. Dit voorkomt het 'ongevoelig' of 'resistent' worden van bepaalde bacteriën.

Een antibioticumkuur duurt gewoonlijk minstens 7 dagen. Recent is het nieuwe antibioticum Zythromax™ op de markt gekomen, dat slechts drie dagen genomen behoeft te worden. Net als bij elk nieuw geneesmiddel is meer praktijkervaring nodig om het middel daadwerkelijk in al zijn hoedanigheden te leren kennen.

Het is belangrijk de voorgeschreven kuur helemaal af te maken. Een te korte behandeling veroorzaakt vaak slechts een 'tijdelijke klap op de kop' van de bacteriën. Daarna krabbelen ze vaak weer overeind. Dit is het geval als u zelf te vroeg met de antibiotica stopt, zonder de kuur af te maken. U loopt dan grote kans dat kort daarna de klachten opnieuw de kop opsteken en dat een nieuwe kuur met antibiotica niet goed werkt omdat de bacteriën er ongevoelig voor zijn geworden.

Het voorkómen van luchtweginfecties is niet zo eenvoudig.
• Voor sommige mensen kan het stoppen met roken een belangrijke factor zijn.
• Voor anderen blijkt dat fysiotherapie ertoe kan bijdragen dat er zich minder slijm in de luchtwegen ophoopt. Hierdoor krijgen de bacteriën minder kans om zich daarin te vermenigvuldigen. Ook lichaamsbeweging (dagelijks wandelen) draagt ertoe bij dat het sputum makkelijker kan worden opgehoest.
• Verder is het van belang om met luchtwegverwijdende middelen het ophopen van het slijm zoveel mogelijk tegen te gaan.
• De jaarlijkse griepinjectie, die zeker aan te bevelen is voor CARA-patiënten, kan bepaalde typen griep voorkomen en daarmee de kans op bacteriële complicaties verkleinen (zie vraag 72).
• Tenslotte zijn er recent een aantal studies afgerond, waaruit blijkt dat langdurige dagelijkse behandeling met acetylcysteïne (bijvoorbeeld Fluimucil™) de frequentie van luchtweginfecties doet verminderen. Bovendien zijn er aanwijzingen dat het bij bepaalde typen patiënten met chronische bronchitis of emfyseem het verlies van longfunctie enigszins zou kunnen afremmen.

74
Is CARA besmettelijk?

CARA is niet besmettelijk. Het wordt immers niet veroorzaakt
door een virus, zoals bij griep, mazelen, aids, hepatitis en tal
van andere infectieziekten het geval is. Het is ook niet het gevolg van micro-organismen als bacteriën. Bij CARA is dus niet
een bepaalde ziekteverwekker verantwoordelijk voor de klachten. Het is ook niet van de ene persoon op de andere over te
dragen door bijvoorbeeld hoesten, slijm, kussen, aanraken of
van elkaars bestek eten.

Bij bepaalde patiënten met chronische bronchitis en emfyseem worden wel bacteriën in het slijm aangetroffen die in
staat zijn om luchtweginfecties te veroorzaken. Hoest een
dergelijke CARA-patiënt een gezond persoon in het gezicht en
ademt die dergelijke bacteriën in, dan kunnen deze door de
normale afweermechanismen van die gezonde persoon onschadelijk gemaakt worden. Met andere woorden: de kans is
klein dat een gezond iemand met een normaal afweersysteem
er ziek van wordt.

Ademen patiënten met chronische bronchitis en emfyseem
ziekmakende bacteriën van andere CARA-patiënten in, dan
kunnen deze zich wel in de luchtwegen van die patiënten nestelen. Of ze problemen in de vorm van luchtweginfecties veroorzaken, hangt af van de algemene afweer van deze patiënten.

HOOFDSTUK 10

Hyperventilatie, neusproblemen en hartproblemen, vliegen en vakantie

Wat is hyperventilatie?

Hyperventilatie betekent een overmatige ventilatie, een te snelle en te diepe ademhaling, die niet afgestemd is op de vraag van het lichaam op dat moment.

Het is normaal dat we bij zware lichamelijke arbeid sneller en dieper ademen. De lichaamscellen hebben dan immers meer zuurstof nodig. Tevens komt door de verhoogde verbranding in de cellen meer koolzuur vrij. Het lichaam reageert hierop door de ademhaling aan te passen, waardoor meer zuurstof wordt aangevoerd en bovendien meer koolzuur wordt afgevoerd. Sneller en dieper ademen heeft onder deze omstandigheden een duidelijke functie.

Sommige mensen gaan echter sneller en dieper ademhalen als ze angstig zijn, aan emoties worden blootgesteld of schrikken. Anderen weten niet waardoor ze dit doen. Op een of andere manier zijn ze onder bepaalde omstandigheden de controle over hun ademhaling kwijt en is hun ademhaling ontregeld.

Wat zijn de verschijnselen van hyperventileren? Een licht gevoel in het hoofd, duizeligheid, een strak gevoel om het hoofd of de mond, tintelingen in handen en vingers en rond de mond. Andere klachten kunnen zijn: oorsuizen, sterretjes zien, kortademigheid en een beklemd en drukkend gevoel op de borst. Deze laatste drie symptomen geven een gevoel van benauwdheid en angst. Dit vormt opnieuw aanleiding tot nog dieper en sneller ademen.

Natuurlijk kunnen deze verschijnselen de indruk wekken dat er iets ernstigs aan de hand is, misschien wel met het hart. Soms denken mensen zelfs dat ze doodgaan. Angst en ademnood overheersen op zulke momenten alles. Zo brengen hyperventilatieproblemen mensen in een vicieuze cirkel: hyperventilatie leidt tot klachten die weer hyperventilatie oproepen. Hierdoor worden mensen nog angstiger, en gaan dan weer sterker hyperventileren, enzovoort.

Zo'n vicieuze cirkel doorbreken is niet altijd eenvoudig. De gebruikelijke aanpak is:
- De persoon erop wijzen dat hij hyperventileert.
- Hem of haar ervan trachten te overtuigen dat hij of zij dan oppervlakkiger moet gaan ademen en moet proberen het ademritme te normaliseren.
- Degene die hyperventileert tijdens zo'n 'aanval' van hyperventilatie enige tijd via een plastic zakje te laten ademen, waardoor het uitgeademde koolzuur weer wordt ingeademd. Er kan een gaatje in het zakje gemaakt worden als men bang is daardoor te weinig lucht binnen te krijgen.

Op het zelfde principe berust ook het enige tijd in- en uitademen door een stukje (tuin)slang van ongeveer 50 cm. Het zal duidelijk zijn dat het in een plastic zakje of door een tuinslang (laten) ademen alleen mag worden toegepast als men zeker weet dat er sprake is van hyperventileren en er niet bijvoorbeeld een hartaanval in het spel is.
- Soms zijn tijdelijk kalmerende geneesmiddelen nodig om het hyperventileren te stoppen of om te voorkomen dat men in angstige situaties opnieuw gaat hyperventileren.

Natuurlijk moet naar de oorzaak van het hyperventileren worden gezocht. Maar dat is niet eenvoudig. Naar schatting heeft 5 tot 10% van alle patiënten die een huisarts bezoeken, last van een of meer verschijnselen van hyperventileren. Maar ook longartsen, cardiologen en neurologen worden ermee geconfronteerd, omdat de verschijnselen zowel op astma, op hartklachten als op neurologische stoornissen kunnen lijken. Echter in slechts 4% van alle gevallen wordt een lichamelijke oorzaak vastgesteld.

Vaak is hyperventileren een gevolg van spanningen of angst. Die problemen moeten allereerst aangepakt worden. Verder kan – met name als het hyperventileren ernstige vormen gaat aannemen – fysiotherapeutische, maar ook psychologische en maatschappelijke begeleiding nodig zijn om iemand van dergelijke problemen af te helpen.

76

Mijn dokter kon heel moeilijk zeggen of mijn benauwdheid het gevolg was van hyperventileren of van astma. Kunt u daar iets over zeggen?

Inderdaad kunnen klachten die door hyperventileren veroorzaakt worden, veel weg hebben van astmatische klachten, maar ook het omgekeerde kan het geval zijn.
Het komt bovendien regelmatig voor dat astmatische patiënten hyperventileren en dan is het nog moeilijker aan te geven wat de werkelijke oorzaak van de klachten is.
In beide gevallen voelt u zich benauwd en er kunnen angsten en een beklemd gevoel op de borst optreden.

Toch zijn er verschillen. Bij benauwdheid door astma kunt u zowel moeite hebben met in- als uitademen, maar meestal levert de uitademing meer problemen op dan de inademing.
Vaak piept u daarbij. Verder verminderen of verdwijnen de klachten als u een luchtwegverwijdend middel als Ventolin™ neemt. Dit moet bij astma direct meer lucht geven. Bij hyperventileren heeft het geen effect.

Bij hyperventilatie is bovendien de ademfrequentie hoog en desondanks wordt er diep en snel ingeademd en met enige kracht en weer snel uitgeademd. De uitademing neemt bijna evenveel tijd in beslag als de inademing.
Dat past beslist niet bij astma, waarbij de uitademing langer duurt. Ook klachten over tintelende vingers en voeten en tintelingen om de mond zijn kenmerkend voor hyperventileren en niet voor astma.

Ten slotte kunnen de oorzaak of aanleiding tot de klachten in een bepaalde richting wijzen. Contact met allergische prikkels voorafgaand aan de benauwdheidsaanval, pleit meer voor astma dan voor hyperventileren. Psychische spanningen en emoties kunnen weer beide tot gevolg hebben.

In het Universitair Longcentrum Dekkerswald te Groesbeek is de zogenoemde HyperVentilatie Syndroom- (HVS-)lijst ontwikkeld. Patiënten van wie men vermoedt dat ze hyperventileren, wordt gevraagd aan te geven van welke klachten ze last hebben tijdens de benauwdheid en in welke mate. Dit wordt aangegeven met 'nooit', 'zelden', 'soms','vaak' of 'zeer vaak'. Hoe meer vragen met 'vaak' of 'zeer vaak' zijn beantwoord, des te groter is de kans dat hyperventileren een rol speelt. Hieronder volgt de lijst.

Welke klachten zijn met name tijdens de benauwdheid op u van toepassing en in welke mate?

- Pijnlijke steken op de borst?
- Gespannenheid?
- Een waas voor de ogen?
- Duizeligheid?
- In de war zijn of het gevoel hebben het contact met de omgeving te verliezen?
- Een snellere of diepere ademhaling?
- Ademnood?
- Benauwd gevoel in of rond de borst?
- Opgeblazen gevoel in de buik?
- Tintelingen in de vingers?
- Niet voldoende diep kunnen doorademen?
- Stijfheid van vingers en armen?
- Koude handen en voeten?
- Bonzen van het hart?
- Angstig gevoel?

Naast deze vragentest wordt ook longfunctieonderzoek verricht. De combinatie van gegevens kan veelal uitwijzen of de benauwdheid het gevolg is van astma of hyperventileren.
Om dit te bevestigen wordt de patiënt ten slotte gevraagd bewust te gaan hyperventileren. Herkent hij dan de verschijnselen waarvan hij zoveel last heeft, dan pleit dat voor de diagnose 'hyperventilatie syndroom'.

Hebben chronische neusklachten iets met astma te maken?

Dagelijks worden artsen geconfronteerd met patiënten die problemen hebben met hun neus. Meestal betreft het klachten over het dichtzitten van de neus, versterkte neusloop of overmatig niezen. De oorzaak hiervan kan een gewone of soms hardnekkige verkoudheid zijn, maar ook andere problemen kunnen een rol spelen. We noemen er een aantal:
• Er kunnen bijvoorbeeld afwijkingen in de vorm en bouw van de neus bestaan, zoals een scheef neustussenschot.
• Verder kunnen allergische problemen een rol spelen. Een typisch voorbeeld van een allergische neusaandoening is hooikoorts (zie vraag 10).
Hierbij komt het slijmvlies van de neus in contact met stuifmeel en ontstaat een zelfde ontstekingsproces als beschreven is bij astma. Dit leidt tot waterige afscheiding en een verdikking van het neusslijmvlies. Daardoor is de 'verstopte' neus te verklaren. Het is een 'seizoengebonden aandoening', waarbij de klachten hoofdzakelijk optreden tijdens de bloeiperiode van de verschillende grassen, bomen en kruidachtige planten. Allergische neusafwijkingen kunnen ook behoren tot het 'allergische syndroom' waar veel kinderen aan lijden: astma, eczeem en hooikoorts.

Er zijn bovendien 'niet-seizoengebonden' allergische neusaandoeningen die het hele jaar door problemen kunnen veroorzaken, zoals allergieën voor huisstofmijten, dieren, maar ook voor stofjes waarmee men in zijn beroep in aanraking komt, zoals (bakkers)meelstof (zie vraag 30).
• Naast de allergische neusafwijkingen komen ook aandoeningen van de neus voor die niet door allergische factoren worden veroorzaakt, maar bovengenoemd beeld wel min of meer nabootsen. Deze patiënten klagen het hele jaar door over neusverstopping, al dan niet gepaard gaande met waterige neusuitvloed en frequent niezen. De klachten kunnen op alle leeftijden voorkomen en zeer hardnekkig zijn. Een duidelijke relatie met astma is niet aangetoond.
• Neuspoliepen (slijmvliesverdikkingen) daarentegen kunnen wel in relatie met astma voorkomen, met name bij het

'niet-allergisch' of 'intrinsic astma'. De combinatie 'intrinsic astma', neuspoliepen en aspirine-overgevoeligheid (zie vraag 17 en 31) zien longartsen regelmatig en meer bij vrouwen dan bij mannen.

De behandeling van *allergische* neusklachten komt in veel opzichten overeen met die van astma:
• Vermijd prikkels. Let in het pollenseizoen op de radioberichten, houdt de ramen van uw huis, kantoor en auto vooral in de namiddag gesloten, want dan is de concentratie pollen meestal het hoogst, kies een vakantie aan zee (zie ook vraag 11).
• Neem dagelijks beschermende middelen. In lichtere gevallen helpt Lomusol™, Prevalin™, Allergocrom™ of Vividrin™. Deze geneesmiddelen bevatten dezelfde stof als Lomudal™, een bekend middel tegen astma.
Werken deze onvoldoende, dan is regelmatige behandeling met inhalatiesteroïden aangewezen: Beconase™ (bevat dezelfde stof als Becotide™), Rhinocort™ (bevat dezelfde stof als Pulmicort™), of Flixonase™ (bevat dezelfde stof als Flixotide™); zie ook vraag 11.

De behandeling van *niet-allergische* neusklachten levert vaak meer problemen op:
• Vermijd irriterende prikkels (roken!).
• Neem dagelijks Beconase™, Rhinocort™ of Flixonase™; soms zijn hoge doseringen nodig.
• Laat hardnekkige neuspoliepen die neusverstopping veroorzaken behandelen. Als ze veel last veroorzaken kan de keel-neus-en-oorarts ze verwijderen. Helaas leert de ervaring dat ze nogal eens terugkomen. Dit kan gedeeltelijk worden tegengegaan door dagelijks gebruik van Beconase™, Rhinocort™ of Flixonase™.
• Bij oudere mensen met hardnekkige loopneuzen wil Atrovent™ nog wel eens helpen. Het is een middel dat met name bij behandeling van chronische bronchitis als luchtwegverwijder bekendstaat. Voor toepassing in de neus is een speciale neusadaptor verkrijgbaar.

78
Kun je door astma, chronische bronchitis of emfyseem ook hartproblemen krijgen?

Ja, dat kan onder bepaalde omstandigheden wel degelijk het geval zijn.
De hartspier heeft, evenals andere organen, zuurstof nodig om zijn werk goed te kunnen doen. Functioneren de longen onvoldoende, dan krijgt het hart te weinig zuurstof aangeboden en kunnen hartproblemen ontstaan.

De hartspiercellen zijn bijzonder gevoelig voor een te laag zuurstofgehalte. Naarmate de zuurstoftoevoer minder is, zullen de hartspiercellen slechter gaan functioneren. Dat wil zeggen dat de hartspier zich minder krachtig kan samentrekken. Hierdoor loopt de pompwerking van het hart gevaar, waardoor andere delen van het lichaam ook onvoldoende zuurstof krijgen. Tevens kunnen tengevolge van zuurstofgebrek hartritmestoornissen (onregelmatige hartslag) ontstaan.
Krijgt de hartspier veel te weinig zuurstof, dan kunnen bovendien onherstelbare beschadigingen optreden. In extreme situaties is het optreden van een hartinfarct of zelfs een hartstilstand mogelijk.

Bij astmapatiënten zien we zelden hartproblemen die het gevolg zijn van astma. Op de eerste plaats omdat jonge mensen over het algemeen een sterk hart hebben. En verder omdat zulke ernstige aanvallen, waarbij een zodanige daling van de zuurstof optreedt, dat het hart daar tijdelijke of eventueel blijvende schade van ondervindt, zich slechts zelden voordoen.

Bij mensen met chronische bronchitis en emfyseem doen zich echter vaker hartproblemen voor en wel meer naarmate de leeftijd toeneemt, de longaandoeningen ernstiger zijn, en men wel eens eerder last van het hart heeft gehad.
• Als de longen minder zuurstof aanvoeren, kan de pompwerking van het hart minder krachtig worden. Vaak gehoorde klachten zijn dan moeheid, problemen bij inspanning en dikke benen door vochtophoping.
• Bij mensen die een hartinfarct hebben gehad of bij wie een vernauwing van de kransslagader bestaat, treden als gevolg

van verminderde zuurstoftoevoer bovendien vaker beklemming of pijn op de borst op.

• Neemt de zuurstoftoevoer tijdelijk sterk af, zoals kan optreden tijdens een luchtweginfectie, dan kunnen hartritmestoornissen optreden met name bij mensen die al eens eerder dergelijke problemen hebben gehad. De patiënt merkt dit aan hartkloppingen of een onregelmatige polsslag.

Verder speelt vooral bij emfyseempatiënten nog een ander probleem. Zoals in vraag 41 is uitgelegd is er bij emfyseempatiënten niet alleen sprake van vernauwingen en beschadigingen van de luchtwegen, maar gaan ook de wanden van de longblaasjes, waarin talloze kleine bloedvaatjes lopen, verloren. Het stroomgebied van het bloed wordt hierdoor kleiner. Het vraagt dan meer kracht van het hart om het bloed daar doorheen te pompen.

Bij oudere mensen met een zwak hart kan dit problemen opleveren. Ze merken dit onder andere aan vochtophoping in de benen. Deze problemen doen zich meer voor naarmate de longen het hart minder zuurstof kunnen aanbieden.

Meer vocht in de benen kan dus wijzen op een slechter functioneren van het hart. Zoals gezegd kan dit weer het gevolg zijn van een zwak hart, maar ook omdat de longen te weinig zuurstof aan het hart aanbieden.

Kunnen patiënten met chronische bronchitis en emfyseem veilig vliegen? Mogen zij op vakantie naar de bergen?

Vliegen

Moderne verkeersvliegtuigen vliegen gewoonlijk op een hoogte van 10 km. In de kabine heerst dan een luchtdruk die overeenkomt met een hoogte van 2000 m. De daarbij passende lagere zuurstofspanning kan bepaalde patiënten in problemen brengen. Dit geldt met name voor emfyseempatiënten, voor hartpatiënten en uiteraard als bij iemand beide problemen tegelijk spelen.

Heeft u in het normale leven al wat minder zuurstof in het bloed, dan kan het zuurstofgehalte op vlieghoogte zo ver dalen, dat hierdoor problemen kunnen ontstaan. Wilt u gaan vliegen, vraag uw arts dan tijdig om advies. Nader onderzoek (zuurstofbepaling in het bloed) kan nodig zijn om vast te stellen of vliegen voor u verantwoord is en of er extra zuurstof tijdens de vlucht noodzakelijk is. Dit laatste moet echter tevoren bij de vliegmaatschappij worden aangevraagd. Neem voldoende tijd om dit alles te laten uitzoeken en te regelen.

Bergvakanties

Een zelfde advies geldt voor mensen met wat ernstiger vormen van chronische bronchitis of emfyseem die op vakantie naar de bergen willen. Hoe hoger uw vakantiebestemming ligt, des te lager is de zuurstofspanning. Is uw longfunctie aan de lage kant, dan kan het zijn dat u over een te lage longcapaciteit beschikt om op die hoogte voldoende zuurstof binnen te krijgen. Dit geldt misschien niet zozeer als u rustig zit, maar wel als u gaat wandelen.
Denkt u dat dit soort problemen bij u een rol speelt, bespreek ze dan tijdig met uw dokter.

Enkele tips
• Kies met zorg uw vakantiebestemming uit en let er daarbij op hoe hoog die plaats ligt. Bij sommige mensen ligt de grens om plezierig, zonder benauwd te worden te kunnen wande-

len op 1000, bij anderen op 1500 m. De dokter kan ongeveer aangeven wat voor u haalbaar en verstandig is. Heeft hij er geen problemen mee dat u naar de bergen gaat, let dan toch goed op uzelf! 'Luister' naar de signalen die uw lichaam geeft en handel daar dan ook naar.

• Gaat u met de auto naar de bergen, blijf dan eventueel een of twee nachtjes halverwege uw vakantiebestemming overnachten om het lichaam de tijd te geven zich langzaam aan de hoogte aan te passen.

• Als de dokter het niet verstandig vindt om wandelingen boven 1500 m te maken, ga dan ook niet met een kabelbaantje naar hoger gelegen gebieden!

• Er zijn enkele signalen die u aan het denken moeten zetten en waarbij u zich af moet vragen of u niet te hoog zit. We kunnen slechts enkele voorbeelden noemen:

– U bent twee of drie dagen op uw vakantiebestemming en u heeft nog steeds het gevoel dat elke wandeling u te veel is, terwijl dergelijke problemen thuis niet speelden.

– Bij het minste of geringste bent u kortademig, terwijl u dat helemaal niet van uzelf gewend bent.

– U hebt meer pijn op de borst of een bandgevoel om de borst met lopen.

– U krijgt dikke benen, terwijl u daar nooit eerder last van had.

Waar moeten chronische-bronchitis- en emfyseempatiënten aan denken als ze gaan vliegen of een lange reis gaan maken?

• Zorg ervoor dat u voldoende medicijnen in uw handbagage hebt. Pak ze niet in in de koffer, die u bij het inchecken af moet geven. Maakt u een langere vlucht, houdt dan rekening met het feit dat soms flinke vertragingen met een extra overnachting kunnen voorkomen. Doe dus extra medicijnen in uw handbagage.
• Neem ook op de reisdagen, die er soms volkomen anders uitzien dan andere dagen, zoveel mogelijk op de daarvoor vastgestelde tijden uw medicijnen. Wijk niet van deze regelmaat af. Deze fout wordt vaak gemaakt omdat u tijdens het reizen de regelmaat mist. Het kan u heel wat ongemak bezorgen.
• Overleg met de dokter of u misschien enkele dagen voor de reis al meer medicijnen moet nemen. Soms is het verstandig al enkele dagen voor vertrek de inhalatiesteroïden (zie vraag 105) tijdelijk te verdubbelen om klimaatwisselingen, het verblijf in rokerige vertrekhallen e.d. beter op te kunnen vangen.
• Zorg dat u voldoende bent verzekerd. Neem de verzekeringspapieren mee.
• Zorg dat u weet wat u moet doen als het niet goed gaat. Neem de medicijnkaart mee waarop de medicijnen staan. Heeft u voldoende medicijnen bij u? Soms zijn bepaalde medicijnen in het buitenland niet verkrijgbaar!
• Als u gewend bent de medicijnen via een voorzetkamer te inhaleren, doe dit dan ook tijdens de reis en de vakantie. Vergeet de voorzetkamer niet, want dat is immers een belangrijk hulpmiddel om toch medicijnen 'binnen te krijgen' als u benauwd bent.
• Neemt u gewoonlijk medicijnen via een elektrische vernevelaar, houd er dan rekening mee dat u dit apparaat niet in het vliegtuig kunt gebruiken. Op de vliegvelden vindt u zeker wel een stopcontact, waarop u het apparaat kunt aansluiten. Zorg wel voor aangepaste stekkers.
• Neem altijd een lijstje mee waarop uw medicijnen vermeld staan.

- Ook is het verstandig een in het Engels gestelde brief mee te nemen, waarin in het kort staat aangegeven wat er met u aan de hand is.

Nog drie adviezen:
- vraag een plaats in een afdeling niet-roken;
- gebruik geen of slechts in beperkte mate alcohol;
- bent u al tijdens korte afstanden lopen kortademig, reserveer van tevoren een rolstoel, want de moderne luchthavens zijn soms zeer uitgestrekt.

Tenslotte: het Astma Fonds geeft een folder met reisadviezen uit. U kunt deze aanvragen door een kaartje te sturen naar:
Het Astma Fonds
Antwoordnummer 99
3800 XA Leusden.
Ook kunt u de CARA-lijn bellen: 06-8991191, vanaf najaar 1997: 0800-227 25 96

Goede reis!

HOOFDSTUK 11

Roken en luchtverontreiniging

81
Wat zijn de schadelijke effecten van roken?

Jaarlijks overlijden wereldwijd ongeveer 2,2 miljoen mensen tengevolge van aandoeningen die veroorzaakt worden door roken. Roken eist alleen al in Nederland jaarlijks 22.000 doden. Jaarlijks overlijden in Nederland 9000 mensen aan longkanker. Bij 90% van hen is het roken van sigaretten de hoofdschuldige. Van de 7500 mensen die als gevolg van chronische bronchitis of emfyseem overlijden, is 75% het slachtoffer van roken. Roken is verder verantwoordelijk voor 25% van de sterfgevallen die het gevolg waren van hart- en vaatziekten.

Naast longkanker worden ook strottenhoofd-, slokdarm-, alvleesklier-, en blaas- en nierkanker met roken in verband gebracht. Zo lopen mensen die roken 10 tot 100 keer meer kans op het krijgen van longkanker dan niet-rokers. Voor strottenhoofdkanker is de kans 10 tot 50 keer hoger.

Uit onderzoek blijkt dat rokers 50 tot 100% meer kans hebben op het krijgen van hartproblemen door vernauwing van de bloedvaten. Rokers van 55 jaar of jonger lopen 3 keer zo veel risico op het krijgen van een hersenbloeding dan niet-rokers.

Door roken neemt de levensverwachting aanzienlijk af. Iemand die vanaf zijn twintigste jaar dagelijks een tot twee pakjes sigaretten rookt, leeft volgens berekeningen 4 tot 8 jaar korter.

Over de schadelijke effecten van roken tijdens de zwangerschap en de effecten van 'passief roken' op kleine kinderen kunt u meer lezen bij vraag 57 en 58.

Wat speelt zich in de longen van rokers af?
Dat is van een aantal factoren afhankelijk, zoals leeftijd, aangeboren gevoeligheid voor sigarettenrook, hoeveel sigaretten men per dag rookt en gerookt heeft, omgevingsfactoren zoals luchtverontreiniging en het al of niet hebben van een (aanleg voor) longaandoening zoals astma, chronische bronchitis en emfyseem.

Ontsteking en overgevoeligheid van de luchtwegen
Een aanzienlijk aantal rokers ontwikkelt al op jonge leeftijd

ontstekingsverschijnselen van de luchtwegen, en dat geeft klachten zoals hoesten, slijm opgeven en/of benauwdheid. Waarom sigarettenrook niet bij iedereen dit soort problemen veroorzaakt, is niet duidelijk. Waarschijnlijk bepaalt 'aanleg' voor een belangrijk deel wie wel en wie niet gevoelig is voor sigarettenrook.

Onherstelbare beschadiging van de longen en longfunctieverlies
Normaal groeien de longen tot het vijfentwintigste jaar. Daarna neemt de longfunctie heel geleidelijk af (zie lijn a in figuur 14). Dit fenomeen treedt bij iedereen op. Sigarettenrook kan dit proces heel sterk beïnvloeden.
Niet iedereen is even gevoelig voor sigarettenrook. Vooral de kinderlong is erg kwetsbaar. Uit onderzoek blijkt dat kinderen die 'passief roken' en ook die kinderen die al op jonge leeftijd zelf zijn gaan roken, op hun twintigste jaar een wat lagere longfunctie hebben dan normaal verwacht mag worden (zie lijn b in fig. 14). Kennelijk worden de longen door het inademen van sigarettenrook in hun groei geremd. Stoppen die kinderen met (passief) roken, dan kunnen de afwijkingen grotendeels teruggaan en kan de longfunctie weer volgens lijn a gaan lopen. Dat kan echter jaren duren.

Niet iedereen is gevoelig voor sigarettenrook
Op volwassen leeftijd kennen we mensen die niet of weinig gevoelig voor sigarettenrook zijn, en anderen die er sterk door in de problemen komen. Er zijn:
• rokers die tot hun tachtigste een pakje sigaretten of meer per dag roken en daar geen last van hebben, hun longfunctie loopt volgens lijn a;
• rokers die wat meer gevoelige luchtwegen krijgen, en daardoor wel regelmatig slijm opgeven en hoesten, maar een normale longfunctie houden; ze 'lopen' dus ook via lijn a, maar hebben wel klachten (zie vraag 35);
• rokers die chronische bronchitis krijgen en een matige longfunctiedaling (lijn c) ontwikkelen (zie vraag 36);
• rokers die emfyseem ontwikkelen en als gevolg daarvan een nog sterkere longfunctiedaling (zie vraag 41).

Astma en roken
Het blijkt dat astmapatiënten die gaan roken door hun gevoelige luchtwegen een grotere kans lopen op een versterkte

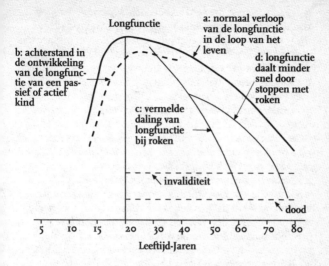

Figuur 14. *Longfunctie en roken* (vrij naar Speizer, *Leerboek longziekten*, 1985). Voor verklaring zie tekst.

longfunctiedaling dan mensen die geen astma hebben. Zij lopen dus een grotere kans op het krijgen van chronische bronchitis of emfyseem (zie vraag 40 en 41). Het lijkt erop dat hun longen als gevolg van het roken veel sneller ouder worden en eerder verslijten.

Stoppen met roken
Stoppen met roken is op elke leeftijd zinvol! Daardoor neemt niet alleen de gevoeligheid van de luchtwegen af, het leidt er ook toe dat de longfunctiedaling geleidelijk minder sterk wordt (lijn d) en de luchtwegen minder vatbaar worden voor luchtweginfecties.
Stoppen met roken, terwijl de longfunctie zich al in de dalende lijn bevindt, leidt echter meestal niet meer tot een normalisering ervan, maar de sterke neiging tot daling, zoals bijvoorbeeld volgens lijn c, wordt wel minder (zie lijn d). Blijft men roken, dan zal de versnelde longfunctiedaling zich verder voortzetten volgens lijn c.

82
Welke schadelijke bestanddelen zitten in sigarettenrook en wat brengen ze teweeg?

In sigarettenrook zitten meer dan 4000 chemische bestanddelen. We noemen de meest schadelijke: teer, nicotine, koolmonoxide, ammoniak en formaldehyde. Wat brengen ze teweeg?

• Teer kan het slijmvlies van de luchtwegen op een zodanige wijze prikkelen dat hierdoor chronische bronchitis ontstaat. Daarnaast is het de belangrijkste veroorzaker van longkanker en kwaadaardige gezwellen van het strottenhoofd.

• Nicotine is verantwoordelijk voor de verslaving aan roken. Er wordt beweerd dat van een verslaving aan nicotine moeilijker is af te komen dan van een verslaving aan heroïne. Nicotine veroorzaakt verder bruine verkleuring van de vingertoppen van de rokers en verlamt ook de werking van de trilhaartjes die in onze luchtwegen een schoonmaakfunctie hebben.

• Koolmonoxide, in de wandeling 'kolendamp' genoemd, vermindert het zuurstoftransport in de bloedbaan. Het hecht zich namelijk 200 keer sneller dan zuurstof aan de rode bloedlichaampjes. Zoals u weet, moeten deze bloedlichaampjes zuurstof vanuit de longen naar de lichaamscellen transporteren. Koolmonoxide neemt tijdens het roken de plaats van zuurstof in, waardoor het zuurstoftransport wordt belemmerd en de lichaamscellen minder zuurstof krijgen. Dit is een van de redenen waarom (top)sporters niet moeten roken. Op dezelfde manier beïnvloedt het koolmonoxide ook het prestatievermogen van CARA-patiënten in negatieve zin.

• Ammoniak en formaldehyde verminderen de werking van het trilhaarsysteem en kunnen het slijmvlies van de luchtwegen zodanig irriteren dat we van een chronische ontsteking kunnen spreken.

Ten slotte worden door diverse bestanddelen in sigarettenrook de afweercellen die zich in de long bevinden, minder actief. Dit vergroot de kans op luchtweginfecties. Deze cellen kunnen bovendien zodanig beschadigd raken dat ze uit elkaar vallen. De daarbij vrijkomende stoffen tasten daarbij de elastische weefsels van de longen aan en dat kan leiden tot emfyseem.

83
Waardoor raken mensen verslaafd aan het roken van sigaretten?

Bij het roken van sigaretten worden veel schadelijke bestanddelen geïnhaleerd. Eén ervan is nicotine. Daarvan wordt 30
tot 90% in het bloed opgenomen en dit bereikt binnen enkele
seconden de hersenen.
Nicotine is een giftige stof die bij de eerste paar keer roken
misselijkheid, hoofdpijn en duizeligheid kan veroorzaken.
Deze 'beginnersproblemen' verdwijnen echter na enkele sigaretten en maken al heel snel plaats voor prettiger ervaringen.
De sigaret brengt een zodanig gevoel van ontspanning, rust
en welbehagen dat men steeds meer gaat roken. Door elke sigaret wordt dit gevoel van ontspannen zijn bevestigd en men
kan er uiteindelijk niet meer buiten. Mensen met dergelijke
ervaringen hebben de sigaret nodig! Met andere woorden, ze
zijn er geestelijk en lichamelijk aan verslaafd.

Wanneer spreken we dan eigenlijk van verslaving? We zullen
hiervan een aantal kenmerken noemen. Er is van echte verslaving sprake wanneer men:
• direct bij het opstaan naar de sigaret grijpt;
• meer dan 15 sigaretten per dag rookt;
• niet van de sigaret af kan blijven ook al weet men dat het
slecht is;
• blijft roken ondanks hart- of longproblemen;
• er al verschillende pogingen ondernomen zijn om met roken te stoppen, maar steeds zonder succes;
• als gevolg van het stoppen met roken allerlei lichamelijke
en psychische klachten ontstaan, zoals angstig zijn, hoofdpijn
en concentratieproblemen.
Al deze symptomen duiden erop dat er een lichamelijke en
geestelijke afhankelijkheid bestaat voor nicotine.

Waarom grijpen dergelijke mensen steeds weer een nieuwe sigaret?
Doordat het lichaam 'afhankelijk' is geworden van nicotine,
vraagt het steeds om nicotine. Aan die vraag kan worden vol-
daan door een sigaret te roken. Door het roken van die sigaret
stijgt het nicotinegehalte in het bloed. Maar na een paar uur
is dat weer gedaald en het lichaam vraagt opnieuw om 'een

voorraadje'. Dat kan slechts aangevuld worden door het opsteken van een nieuwe sigaret.

Sommige mensen kunnen alleen maar functioneren met een heel hoog gehalte nicotine in hun bloed. Zij roken dus aan één stuk door. 's Nachts wordt de nicotine echter niet 'aangevuld'. Het nicotinegehalte daalt dan tot onder de grens die nodig is om te kunnen functioneren. Daarom is het eerste wat verslaafde rokers 's morgens doen, hun nicotineniveau weer op peil brengen met een sigaret. Anders 'zijn ze geen half mens'.

84
Zijn er hulpmiddelen om van het roken af te komen? Wat is er bekend over kauwgumnicotine en nicotinepleisters?

Als we spreken over 'van het roken afkomen' moeten we eerst kijken waarom iemand is gaan roken en waarom hij of zij blijft roken. In 1986 bleek uit een onderzoek van de Engelse Consumentenbond dat slechts 2% van de mensen die met roken begonnen zijn, daarover tevreden zijn. Vijfenzeventig procent wenste dat ze er nooit aan begonnen waren.
De eerste sigaret smaakt vies, je wordt er misselijk van, waarom dan toch gaan roken? Daar zijn verschillende redenen voor te noemen.
• Reclame speelt een heel grote rol: 90% van de zesjarige Amerikaanse kinderen associeert het silhouet van de kameel van het merk Camel met sigaretten.
• 'Omdat anderen het doen', in volgorde van belangrijkheid: rokende ouders, rokende broers en zussen.
• Speciale omstandigheden, zoals: rokende vriendjes, eenoudergezin, gebruik van alcohol, discotheekbezoek, geringe belangstelling voor sport.

Het roken van sigaretten hoeft niet altijd een verslaving te zijn. Er kunnen vele andere redenen zijn waarom iemand een sigaretje opsteekt:
• Uit gezelligheid: gelegenheidsrokers zijn mensen die af en toe een sigaretje voor de 'gezelligheid' roken.
• Als gevolg van spanning of emotie: stressrokers roken vooral tijdens dagen dat ze veel spanningen hebben of heel hard moeten werken.
• Uit gewoonte: gewoonterokers roken omdat ze dat al jaren doen. Een speciale gewoonte is bijvoorbeeld 'een sigaretje na het eten.
• Om zich een houding te geven.

Voor elk van deze typen rokers moet een andere weg bewandeld worden om van het roken af te komen. Het zou te ver voeren om dat hier in detail te bespreken. Wel willen we hier dieper ingaan op enkele hulpmiddelen die men kan gebruiken om van het roken af te komen, zoals nicotinekauwgum en nicotinepleisters.

• *Nicotinekauwgom* Door het kauwen komt nicotine vrij en dat wordt meteen in het bloed opgenomen, net zoals het geval is bij het roken van sigaretten. Het is een nicotinevervanger waarmee men door steeds minder kauwgom te gebruiken langzaam van de verslaving aan nicotine probeert af te komen. Meestal duurt dat drie maanden.

• *Nicotinepleisters* Deze zorgen ervoor dat nicotine via de huid in het lichaam wordt opgenomen. Het voordeel is dat er de hele dag en ook 's nachts een constant gehalte nicotine in het bloed aanwezig is, waardoor de behoefte aan een sigaret sterk wordt verminderd en geen nicotine-ontwenningsverschijnselen optreden. Men moet dagelijks een nieuwe pleister plakken. Door elke maand een kleinere pleister te gebruiken wordt de nicotinebehoefte langzaam afgebouwd. Ook deze behandeling duurt ongeveer drie maanden.

Waarschuwing

Hoewel er vele goede kanten aan deze nicotinevervangende methoden zitten, zijn er recent publikaties over negatieve aspecten van deze vorm van rookontwenning gepubliceerd.

• Plaatselijke reacties in de vorm van roodheid en zwelling treden bij ongeveer 25% van de gebruikers van nicotinepleisters op, gemiddeld 13 dagen na het begin van de behandeling. Ze hebben de neiging om bij voortzetting van de behandeling te verergeren.

• Het is van groot belang om tijdens het gebruik van nicotinekauwgum en nicotinepleisters ook daadwerkelijk te stoppen met roken om te voorkomen dat de concentratie van nicotine in het bloed tot te hoge waarden oploopt. Dit kan tot hartproblemen leiden. Indien tijdens gebruik pijn op de borst ontstaat, moet de behandeling onmiddellijk gestopt worden.

Tenslotte

Kauwgom en pleisters moeten gezien worden als een onderdeel van een actieplan, dat iedereen moet opstellen als hij wil stoppen met roken. Algemene richtlijnen voor het opstellen van zo'n plan vindt u in de folder van de Stichting Volksgezondheid en Roken (zie pag. 280).

85
Kan luchtverontreiniging bij astma-, chronische-bronchitis- en emfyseempatiënten meer klachten veroorzaken? Wat moet ik doen op dagen dat de lucht erg is vervuild?

Wanneer de concentraties van bepaalde bestanddelen in de lucht zekere grenzen overschrijden, dan zijn ongewenste effecten op de volksgezondheid te verwachten. CARA-patiënten kunnen echter klachten krijgen bij lagere concentraties dan de officieel toelaatbare.

Naast onderzoek naar het plotselinge overlijden van mensen als gevolg van ernstige vormen van luchtverontreiniging, zoals in 1952 in Londen is voorgekomen, is ook onderzoek gedaan naar de lange-termijneffecten van luchtverontreiniging op de longfunctie van patiënten met luchtwegaandoeningen. Zo bleek dat bij CARA-patiënten die in een gebied woonden met een hoge graad van luchtverontreiniging, op de lange duur een sterkere daling van de longfunctie kon worden vastgesteld dan bij vergelijkbare CARA-patiënten die in een gebied woonden met minder luchtverontreiniging.

De concentratie van allerlei afvalstoffen zoals zwaveldioxide, stikstofproducten en zware metalen in de directe omgeving van industriegebieden kan aanmerkelijk hoger zijn dan bijvoorbeeld op de waddeneilanden. Ook klimatologische factoren kunnen ertoe bijdragen dat op bepaalde dagen (windstil en warm weer) de concentraties van schadelijke stoffen hoge waarden bereiken en zelfs tot ontoelaatbare waarden stijgen. Het gaat dus bij luchtverontreiniging vrijwel nooit om één schadelijke factor, maar om combinaties van factoren zoals uitstoot van allerlei afvalstoffen, weersomstandigheden, ozonconcentraties en de effecten daarvan op mensen, dieren en planten.

In de herfst- en wintermaanden kan de 'wintersmog' klachten veroorzaken. Smog is een combinatie van de Engelse woorden *smoke* (rook) en *fog* (mist). Er kunnen zich in die periode klimatologische factoren voordoen waarbij hoge concentraties zwaveldioxide en roetdeeltjes in de lucht blijven hangen. Dit zien we in Nederland vooral bij rustig, wat mistig winterweer, met lage temperaturen. Bij zwakke oostenwind wordt dan sterk verontreinigde lucht uit het Ruhrgebied en Oost-Europa naar ons land gevoerd en blijft daar hangen. Ook boven het Rijnmondgebied kan dan smog ontstaan.

Sommige mensen zijn erg gevoelig voor dergelijke weersomstandigheden en geven er de voorkeur aan die dagen binnen te blijven. Indien men dagelijks inhalatiesteroïden zoals Becotide™, Flixotide™ of Pulmicort™ gebruikt, is het verstandig deze in die periode in een dubbele dosering te nemen. Dus in plaats van 2x daags één inhalatie in die periode 2x daags twee inhalaties.

'Zomersmog' doet zich vooral voor bij een combinatie van hoge temperaturen, veel zon en een zwakke oostelijke of zuidelijke wind. Onder dergelijke omstandigheden kunnen zich hoge concentraties ozon vormen. Deze ontstaan door de inwerking van de zon op afvalproducten, die bij de verbranding van autobrandstoffen en industriële processen de lucht in geblazen worden.
Hoge concentraties ozon doen zich vooral in de namiddag en vroege avond voor. Ze kunnen irritatie van de slijmvliezen van de ogen, neus en keel veroorzaken, maar ook luchtwegklachten.
Binnen blijven is niet nodig, maar het is wel verstandig om dan overmatige inspanning te vermijden. Hoe meer u zich namelijk inspant, des te meer lucht ademt u in en daardoor ook ozon. Soms kan het nuttig en zelfs noodzakelijk zijn om tijdens die dagen uw medicijnen aan te passen, zoals hierboen is aangegeven.

HOOFDSTUK 12

Preventie en saneren

86
Wat is sanatie? Welke rol spelen kussens en matrashoezen hierin? Wat zijn sanatiewinkels?

Zoals we in vraag 24 hebben gezien, zijn er nogal wat gassen, dampen en in de lucht zwevende stofjes en deeltjes die de luchtwegen schade kunnen berokkenen. We worden er niet alleen buiten mee geconfronteerd, maar vooral ook binnenshuis. Omdat we gemiddeld 70% van onze tijd binnen vertoeven, loont het zeker de moeite om de potentiële vijanden te kennen en te weten hoe we ermee om moeten gaan. Met andere woorden: het is van belang om preventieve maatregelen te nemen.

In zijn algemeenheid adviseren om allerlei prikkelende en allergische stoffen uit de weg te gaan, is gemakkelijker gezegd dan gedaan. Het is veel nuttiger om te kijken wat in uw geval haalbaar is. Het loont vaak de moeite om zelf eens detective te spelen en te kijken waar uw vijanden u allemaal proberen te grijpen en hoe u daarop moet reageren.

Waar moet u bij de speurtocht door en rondom uw huis op letten en hoe kunt u het beste te werk gaan? We beginnen met het laatste.
• Een goede, maar wel tijdrovende manier is om een tekening van de verschillende verdiepingen van uw huis te maken en daarin aan te geven wat voor vloerbedekking u heeft, of er ventilatieroosters aanwezig zijn, of ze 24 uur per dag openstaan, of er soms vochtige plekken op de muren aanwezig zijn, wat voor soort meubilair er in de verschillende kamers staat – met name pluche meubelen – of de matrassen, kussens en dekbedden oud zijn, wat voor vulling erin zit, of er pluizig speelgoed op de kinderkamers ligt en wat voor gordijnen er hangen.
• Wilt u weten of er in een oude bank of in dat oude matras of in een tapijt veel huisstofmijten zitten, dan is dat met een zogenoemde Acarex-test na te gaan. Deze is verkrijgbaar bij de apotheek en in allergie- en sanatiewinkels (zie pag. 280).

Het boekje *Saneringsadviezen*, dat gratis te verkrijgen is bij het Astma Fonds, geeft aan waar u bij saneren op moet letten.

'Saneren betekent gezond maken', zo staat er in de inleiding van deze brochure. Er wordt aangegeven wat u moet doen om op een verstandige en verantwoorde manier het leefmilieu binnen uw huis te verbeteren. Vaak brengt dat kosten met zich mee. Daarom zijn daarin ook subsidiemogelijkheden genoemd, waarvoor u mogelijk in aanmerking komt.

In het boekje komen onderwerpen aan de orde, zoals:
• vochtbestrijding en ventilatie van het huis met het doel de groei van de huisstofmijt en schimmels te beperken en de andere in het huis rondzwevende allergische stofjes te verminderen;
• inrichting, stoffering en het onderhoud van het huis, ook weer met het doel de huisstofmijt terug te dringen;
• toepassing van chemische middelen om de huisstofmijten te doden;
• huisdieren, moeten ze echt weg?
• het belang van schoonmaken, hoe lang stofzuigen, het wassen van beddegoed, hoofdkussens, dekbedden, 'pluizige' speelgoedbeestjes en gordijnen; hoe vaak en op welke temperatuur?
• de invloeden van roken;
• zijn mijtwerende hoezen voor kussens en matrassen een goede oplossing? (hierover vindt u verderop in dit antwoord meer gegevens);
• de effecten van formaldehyde, een gas dat vrij kan komen uit nieuwe meubelen en kasten.

In dit boekje wordt met nadruk gesteld dat allergisch onderzoek nodig is om te besluiten welke saneringsmaatregelen genomen moeten worden. Dit om te voorkomen dat onnodig veel energie en geld gestoken wordt in overbodige activiteiten. U zult begrijpen dat saneren meer is dan een oud schimmelig kleedje weggooien.
Nodig ook eens de wijkverpleegkundige uit als u vragen over saneren heeft en overleg met hem of haar wat wel en niet zinvol is (zie vraag 87).

Zijn mijtwerende hoezen voor kussens en matrassen zinvolle hulpmiddelen in de strijd tegen de huisstofmijten? Aan dit onderwerp werd bijzondere aandacht besteed in het door het Astma Fonds uitgegeven blad Contrastma (julinummer, 4, 1994). Een gedeelte van dit artikel is hieronder overgenomen.

Elke avond naar bed met de vraag of het deze nacht wel lukt om probleemloos te slapen tot de wekker gaat. Voor veel mensen met astma zijn de problemen 's nachts het grootst. Dit komt omdat zij boven op een bron van allergieveroorzakers liggen: de huisstofmijten in hun bed. Deze microscopisch kleine beestjes maken met hun keuteltjes het leven van honderdduizenden mensen zuur. Speciale hoezen voor matrassen, kussens en dekbedden kunnen problemen voorkomen, beweren fabrikanten.

Zijn deze hoezen echt het wondermiddel tegen nachtelijke benauwdheid? Sommige gebruikers geloven van wel. Ook de verzekeraars zien het nut van de hoezen in en vergoeden een groot deel van de (hoge) aanschafprijs. Sommige wetenschappers zeggen dat de invloed van een allergeen-arm bed beperkt is, andere juichen het gebruik van hoezen toe. In Nederland zijn verschillende soorten hoezen op de markt. Ze werken allemaal op dezelfde manier: de stof heeft een bijzonder fijne structuur of bezit een kunststof laagje zodat de huisstofmijten en hun keutels er niet doorheen kunnen. Daarmee worden de kleine lastposten voor een goed deel buitenspel gezet.

De bekendste hoezen die in Nederland op de markt zijn, hebben namen als Mitecare, Allergocover, Allergy Control en Alprotec. De prijzen lopen uiteen van ƒ 231.- voor een eenpersoons tot ƒ 415.- voor een tweepersoons matrasovertrek. Speciale kussenslopen kosten ƒ 45.- tot ƒ 75,- en dekbedovertrekken maximaal ƒ 445.-. De hoezen zijn opgenomen in de AWBZ-vergoedingsregeling.

Om in aanmerking te komen voor een vergoeding moet de patiënt een machtigingsformulier van zijn huis- of longarts naar zijn ziekenfonds of particuliere ziektekostenverzekeraar opsturen, samen met een prijsopgave. Per 1 januari 1995 is de eigen bijdrage van 15% tot een maximum van ƒ 200.- per jaar per verzekerde volledig komen te vervallen.

Dergelijke hoezen zijn onder andere te verkrijgen bij sommige thuiszorgwinkels van de plaatselijke Kruisverenigingen en in allergie- en sanatiewinkels. Deze 'draaien' op commerciële basis. In dergelijke winkels zijn ook testproducten te koop om het huis te onderzoeken op de aanwezigheid van huisstofmijten. De adressen van deze winkels vindt u in de adressenlijst achterin dit boek op pag. 280. Ze zijn ook via de apotheek te bestellen.

Naast de huisstofmijt zijn ook pollen belangrijke veroorzakers van luchtwegklachten. Kijk ook eens wat er in uw tuin staat. Berkebomen vlak voor uw raam kunnen in de lente veel last veroorzaken. Bovendien kunnen mensen met een berkenpollenallergie ook last krijgen van een allergie voor appels, perziken en andere vruchten met grote pitten en waarschijnlijk ook voor kiwi's.

Staat uw tuin vol bijvoet, een onkruid, dan kan dat in de bloeitijd ook hooikoorts veroorzaken. Bovendien kan het via zogeheten kruisovergevoeligheid een allergie voor tuinkruiden zoals peterselie, venkel en dergelijke veroorzaken.

Heeft u een tuin met een gazon, maai het dan voor het gaat bloeien. Dat betekent dat u soms twee keer per week moet maaien.

87
Welke rol hebben de wijk- en CARA-verpleegkundige bij de behandeling van CARA-patiënten?

Omdat het voor een wijkverpleegkundige ondoenlijk is van alle soorten ziekten goed op de hoogte te zijn en op al deze gebieden ook bij te blijven, zijn er per regio diverse gespecialiseerde verpleegkundigen werkzaam. De één is gespecialiseerd op het terrein van reuma, de ander op het terrein van hart- en vaatziekten. Zo is er ook een CARA-deskundige.
De belangrijkste taken van deze CARA-verpleegkundige zijn het geven van voorlichting over de ziekte zelf, de medicijnen en inhalatietechnieken. Wilt u meer weten over de invloeden van inrichting, stoffering en vloerbedekking op CARA-patiënten, maak dan eens een afspraak met de CARA-deskundige. Deze kan u bovendien CARA-vriendelijke tips geven over de woning zelf, de verwarming en ventilatiemogelijkheden, maar ook over de rol die huisdieren, planten en schoonmaakmiddelen bij CARA-patiënten kunnen spelen. Verder is de CARA-verpleegkundige deskundig op het gebied van saneren (zie vraag 86).
In sommige plaatsen in Nederland zijn de kruisverenigingen – ook wel thuiszorginstellingen genoemd – actief bij het organiseren van voorlichtingsavonden en CARA-sportgroepen. Ook deze activiteiten lopen meestal via de CARA-verpleegkundigen.

In sommige ziekenhuizen zijn CARA-verpleegkundigen werkzaam. Zij nemen een aantal taken van de specialist over bij de behandeling en begeleiding van de CARA-patiënt. Hun werkzaamheden bestaan onder andere uit:
• het geven van voorlichting over het ziektebeeld CARA in aanvulling op datgene wat de arts gewoonlijk vertelt;
• het beantwoorden van vragen die de patiënt op het spreekuur is vergeten of niet heeft willen stellen en het bespreken van onderwerpen die niet duidelijk zijn;
• het aanmoedigen van de patiënten om hun medicijnen ook werkelijk te nemen zoals is bedoeld;
• het oefenen en controleren van inhalatietechnieken;
• de patiënt te leren herkennen wanneer zijn astma, chroni-

sche bronchitis of zijn emfyseem dreigt te ontregelen en wat hij in eerste instantie zelf kan doen;

- het bespreken van het belang van niet-roken;
- advies geven over saneren van het huis (in samenwerking met de wijkverpleegkundige, zie vraag 86);
- het gebruik van zuurstof thuis (zie vraag 120).

88
Is het voor astmapatiënten zinvol om regelmatig te sporten?

Het is voor iedereen zinvol om regelmatig te sporten of wat intensiever te bewegen. Dat geldt ook voor astmapatiënten. Maar dit advies wordt lang niet altijd opgevolgd.
Een van de redenen is dat bij nogal wat astmapatiënten hardlopen, fietsen, voetballen e.d. benauwdheid kan veroorzaken. Door dit zogenaamde inspanningsastma (zie ook vraag 27) hebben astmapatiënten daarom nogal eens een slechte conditie en dat heeft tot gevolg dat ze bij wat zwaardere inspanning steeds snel buiten adem zijn. Het komt voor dat ze dit 'buiten adem zijn' ervaren als benauwdheid en ze koppelen dit dan ten onrechte aan astma. Zo komen ze in een vicieuze cirkel terecht. Steeds vaker blijkt echter dat actief sport bedrijven voor zo goed als alle astmapatiënten mogelijk is. In vraag 28 wordt hier uitvoerig aandacht aan besteed. Zelfs wereldkampioen worden behoort tot de mogelijkheden. Denk maar eens aan Bart Veldkamp, wereldkampioen op de schaats.

Welke sport is nu goed voor een astmapatiënt?
Voorop staat dat een sport gekozen moet worden, waar ook werkelijk plezier aan wordt beleefd. Echter sommige sporten zijn wel en andere minder geschikt voor astmapatiënten. Sportduiken moet worden afgeraden; het gevaar is onder andere dat de luchtwegen door het sneller en dieper ademen extra geprikkeld worden en er daardoor astmatische klachten kunnen optreden. Raakt men in paniek en stijgt men te snel op dan is er een verhoogde kans op een klaplong. Overleg e.e.a. met uw arts. Tegen snorkelen bestaat geen bezwaar. Verder wordt alpinisme voor die patiënten die vaak aanvallen hebben, ontraden, omdat acute medische hulp in een hoog en afgelegen gebied moeilijk te realiseren valt. Ook sporten als parachutespringen, ballonvaren, zweefvliegen en deltavliegen worden om soortgelijke redenen niet aanbevolen. Bij voetballen en andere teamsporten, waarbij men nu weer eens moet sprinten en dan weer stilstaat, kan nogal eens inspanningsastma optreden, maar dat is meestal geen reden om van deze sporten af te zien. De klachten kunnen in veel gevallen door een goede behandeling worden voorkomen (zie vraag 28).

Waarom is het belangrijk om astmatische kinderen te stimuleren aan sport te doen?

Veel astmapatiëntjes zijn nogal eens 'overbeschermd' opgevoed, zodat ze op den duur helemaal niet meer aan sport doen. Soms hoeven ze zelfs niet meer mee te doen met gymnastieklessen en door het steeds weer kortademig worden tijdens training of het spelen van wedstrijden, zeggen zij het lidmaatschap van sportverenigingen op.

Dit kan de ontwikkeling van een gezond lichaam in de weg staan. Zo raken zij niet alleen in lichamelijk opzicht, maar ook maatschappelijk gezien steeds verder achterop bij hun leeftijdgenoten. In dit kader kan het onderkennen van inspanningsastma van groot belang zijn, omdat het – zoals in vraag 28 wordt uitgelegd – goed te behandelen is.

Het beoefenen van sport kan het astma niet genezen en ook de longfunctie wordt er niet beter door, maar door te sporten blijkt wel de ernst van het inspanningsastma af te nemen. Daarnaast zijn er nog andere voordelen:
– het kind krijgt een betere conditie;
– het prestatievermogen wordt opgevoerd;
– sporten bevordert de ademhalingsbeheersing;
– de coördinatie van de bewegingen verbetert;
– door teamsporten verbeteren de sociale vaardigheden;
– het zelfvertrouwen wordt erdoor versterkt;
– het is een gezonde manier van ontspannen.

89

Waarom is het zo belangrijk dat patiënten met chronische bronchitis en emfyseem in beweging blijven?

Net zoals bij astma geldt, dat patiënten met chronische bronchitis en emfyseem de neiging hebben om inspanning te vermijden. Ze worden er immers nogal eens benauwd door. Hun lichamelijke conditie neemt hierdoor steeds verder af. Veel patiënten krijgen als gevolg daarvan meer last van kortademigheid tijdens het wandelen, fietsen en het beoefenen van sport. Ze gaan deze activiteiten daarom nog meer uit de weg en zo komen ze in een neerwaartse spiraal terecht (zie fig. 15).

Vaak echter kan de patiënt meer dan hijzelf en de omgeving denkt. Het is dan ook verstandig om met de huisarts of specialist te bespreken, hoe de conditie verbeterd kan worden. In het algemeen gesproken is een dagelijkse wandeling van 20 tot 30 minuten voor iedereen belangrijk om de conditie enigszins op peil te houden. Maar in uw geval is misschien wel een meer op uw situatie toegeschreven trainingsplan noodzakelijk. Soms is deelname aan een revalidatieprogramma de oplossing (zie vraag 90 en 119).

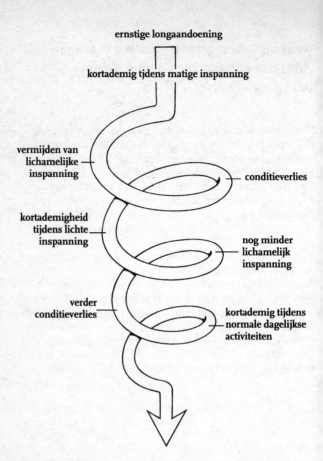

Figuur 15. *Neergaande spiraal van een patiënt met een ernstige vorm van* CARA. Neergaande spiraal waarin de CARA-patiënt zich kan bevinden als de behandeling onvoldoende effect heeft. Inspanning wordt in toenemende mate vermeden, hetgeen uiteindelijk tot een zodanig conditieverlies kan leiden dat zelfs het uitvoeren van normale dagelijkse activiteiten problemen gaat opleveren.

90
Hoe kunnen emfyseempatiënten hun krachten het best verdelen en wat is daarbij de rol van de fysiotherapeut?

Emfyseempatiënten beschikken slechts over weinig zuurstof. Om die zuurstof binnen te krijgen moeten ze ademhalen en alleen dat kan al zoveel zuurstof kosten dat er voor andere activiteiten nog maar weinig over blijft.

Sommige patiënten ademen heel efficiënt in en uit. Anderen doen dat minder goed en gebruiken daarvoor meer zuurstof dan eigenlijk nodig is. In dergelijke gevallen is het verstandig de hulp van een fysiotherapeut in te roepen. Deze kan de patiënt leren, hoe hij zo efficiënt mogelijk moet ademen. Hier volgen enkele tips:
– maak de uitademing langer dan de inademing;
– vermijd het inhouden van de adem tijdens inspanning, zoals wel eens gebeurt als u zich ergens op concentreert;
– probeer bij het uitademen de lippen in een 'tuitvorm' gedeeltelijk op elkaar te houden en de lucht zo geleidelijk mogelijk te laten ontsnappen. Zorg dus voor een regelmatige en niet te snelle uitademing;
– praat niet terwijl u loopt of andere dingen doet die u moeite kosten (zie ook vraag 117).

Naast een betere ademhalingstechniek kan ook het beter verdelen van de krachten winstpunten opleveren. Te snel starten kost energie. Onnodig stukjes lopen ontneemt daarna de kracht om datgene te doen, wat men eigenlijk zou willen doen.

De fysiotherapeut is vaak de aangewezen persoon om adviezen te geven hoe alledaagse activiteiten het best uitgevoerd kunnen worden zonder daarbij zuurstof te verspillen. Hier volgen enige tips om daarmee zuurstof te sparen:
– Beweeg langzaam.
– Ga zoveel mogelijk zitten bij huis-, tuin- en keukenactiviteiten.
– Moet u wat zwaardere voorwerpen verplaatsen, sleep ze dan zoveel mogelijk over de grond en probeer als het even kan ze niet te dragen.

– Probeer de wat zwaardere activiteiten in gedeelten uit te voeren, beetje bij beetje.
– Verricht wat moeizamer en zwaarder werk op uren of dagen dat u 'goed' bent.

Vergeet een ding niet: iedereen kan ergens moe van worden. Daarbij hebben emfyseempatiënten een extra probleem: te weinig zuurstof. De voorraad is heel snel uitgeput en u moet er daarom heel zuinig mee omgaan en uzelf de tijd gunnen om – als het op is – weer een voorraadje zuurstof te verzamelen door even te rusten en weer op adem te komen. Dat daardoor het een en ander niet zo vlug gaat als u graag zou willen, is nu eenmaal een gegeven feit en er zit niets anders op dan daar heel goed rekening mee te houden. Doet u dat niet, dan blijft u steeds maar vechten tegen iets, dat u eenvoudigweg niet kunt winnen en dat bezorgt u steeds weer kortademigheidsklachten.

Vergelijk uzelf met een auto die op zonne-energie loopt. Snel starten en tegen de wind in rijden gaat heel moeizaam en wordt dan ook zoveel mogelijk vermeden. Maar rustige tochtjes over de vlakke weg geven des te meer plezier.

91

Moet je bij het kiezen van een beroep rekening houden met het feit dat je allergisch bent of astma hebt?

Inderdaad moet je bij de beroepskeuze rekening houden met het feit dat je astma hebt.

Ben je allergisch voor honden, katten, cavia's en andere dieren dan is het onverstandig om een dierverzorgend beroep te kiezen, omdat dit vermoedelijk op de lange duur tot problemen zal leiden.

Ook beroepen waarbij je met sterk prikkelende dampen in aanraking komt, moeten worden afgeraden. Sommige patiënten reageren sterk op temperatuurwisselingen of op kou. Kies je dan een beroep waarin je bijvoorbeeld veel in koelcellen moet werken, dan kan je je daarmee de nodige problemen op de hals halen. Zo zijn er nog talloze voorbeelden te noemen.

Overleg met de huisarts of de longspecialist over de keuze van je beroep. Dat kan heel nuttig en misschien zelfs noodzakelijk zijn. Soms kan de dokter je pas na uitvoerig onderzoek het juiste advies geven (zie ook vraag 30 over beroepsastma).

HOOFDSTUK 13

Onderzoek en diagnose

92
Wat vraagt de dokter als u met luchtwegklachten komt, en wat voor onderzoek kan nodig zijn?

Vragen die de dokter vaak stelt, zijn:
– Heeft u (of uw kind) wel eens last van hoesten, kortademigheid of piepende ademhaling of zijn deze klachten (zo goed als) dagelijks aanwezig?
– Wanneer zijn de klachten begonnen?
– Hoe vaak heeft u er last van, wanneer en waardoor ontstaan ze?
– Zijn er ook perioden zonder klachten?
– Treden bij inspanning luchtwegproblemen op?
– Zijn de klachten gebonden aan verkoudheid, voeding, inspanning, omgeving, dieren, planten, emoties?
– Welke medicijnen worden of zijn al eens gebruikt? Wat zijn de effecten ervan?
– Heeft u (of uw kind) wel eens last van geïrriteerde of jeukende ogen, een verstopte neus of oorklachten?
– Komt in de familie CARA voor?
– Is uw huis oud, modern, droog, vochtig?
– Is er centrale verwarming, wat voor vloerbedekking ligt er in de slaapkamer, is het matras oud, wat voor vulling zit er in het kussen en het dekbed, zijn er huisdieren, wordt er gerookt?

Verder kan aanvullend onderzoek nodig zijn om na te gaan of er sprake is van: een allergie (zie vraag 93); overgevoeligheid van de luchtwegen (zie vraag 94); luchtwegvernauwing en of deze wel of niet op medicamenten reageert (zie vraag 95); beschadigingen van de luchtwegen en in welke mate (zie vraag 95); elasticiteitsverlies van het longweefsel (zie vraag 95); andere longziekten.
Daarnaast kunnen meer specifieke vormen van onderzoek nodig zijn, zoals zuurstofbepaling in het bloed, inspanningsonderzoek, en bij oudere patiënten kan zelfs een slaaponderzoek aangewezen zijn om na te gaan waardoor nachtelijke klachten ontstaan. Uit al deze gegevens moet duidelijk worden wat uiteindelijk de juiste behandeling moet zijn.

93
Hoe kunnen we nagaan of iemand voor iets allergisch is?

Iemand die allergisch is, zal dit aan bepaalde verschijnselen kunnen merken: in de hooikoortsperiode gaat hij niezen, bij contact met een kat wordt hij benauwd. Uit deze gegevens kunnen we eenvoudig de conclusie trekken dat iemand allergisch is voor pollen en katten. Toch is het niet altijd zo duidelijk. Iemand kan veel last van een loopneus hebben, of voortdurend niezen, terwijl hij niet weet waardoor dat komt. Hij kan ook thuis of op het werk steeds benauwd worden, zonder dat daar een aanwijsbare aanleiding voor bestaat. Dan is verder onderzoek nodig.

In vraag 92 is aangegeven dat het gesprek met de dokter heel belangrijk is. Hij zal zoveel mogelijk te weten willen komen over de leefwijze van de patiënt en de omgeving waarin hij of zij verkeert. Waardoor ontstaan de neusklachten of de benauwdheid? Hoe vaak komen ze voor? Onder welke omstandigheden? Alleen in bepaalde seizoenen? Zijn er maatregelen genomen tegen huisstofmijten? Wat voor vloerbedekking ligt er in huis? Zijn er veel oude meubelen? Is het huis vochtig? Zijn er huisdieren? Wat is het beroep? Zijn er nieuwe meubelen gekocht?
Maar ook uit zo'n gesprek blijkt niet altijd precies waar het probleem ligt. Vermoedt de dokter dat er een allergie in het spel is, dan kan deze uit verschillende allergietesten kiezen.

• De *Phadiatop-test* Hiervoor wordt een een buisje bloed afgenomen. Met deze test krijgt men alleen maar antwoord op de vraag of iemand allergisch is of niet. Wil de dokter daarna uitzoeken *waarvoor* en *in welke mate* de patiënt allergisch is, dan kan hij een huidtest doen of dit weer via een ander bloedonderzoek (de RAST-test) te weten trachten te komen.

• De *huidtest* De meest gangbare huidtest is de priktest. Uit een aantal flesjes die extracten of 'aftreksels' bevatten van de meest voorkomende allergische stoffen (huisstofmijten, huidschilfers van katten, honden, verschillende soorten grassen, bomen e.d.) worden druppeltjes op de binnenzijde van de arm aangebracht. Met een kleine naald wordt hierdoorheen geprikt, zodat een klein beetje 'allergische stof' in de huid wordt gebracht. Na twintig minuten kan de huid op de plaats van één of meerdere prikjes roder en dikker worden. Er kan zelfs een blaar ontstaan. We zeggen dan dat iemand 'positief reageert' op de extracten die deze reacties veroorzaken. Met andere woorden: hieruit blijkt dat de patiënt allergisch is. Omdat bekend is welke stof waar op de arm is aangebracht, is meteen duidelijk voor welke stof de patiënt allergisch is. Soms treedt pas na 4 tot 8 uur roodheid en zwelling op. Er is dan sprake van een 'late reactie'.

• De RAST-*test* Dit is een test waarvoor bloed afgenomen moet worden. Het inademen van allergische stoffen roept bij allergische patiënten antilichamen op. Deze kunnen in het bloed worden gemeten. Zo kunnen speciale antistoffen tegen pollen, huisstof en katten worden aangetoond. Is bijvoorbeeld het antistoffengehalte tegen kattenallergenen verhoogd, dan betekent dat, dat die persoon allergisch voor katten is. Hoe hoger het antistofgehalte tegen de kattenallergenen, des te sterker is de allergie voor katten. Dergelijke bloedtesten worden 'RAST-testen' genoemd. Bij kleine kinderen wordt vaak de voorkeur gegeven aan de RAST-test (een keer bloedafname) boven de huidtest (meerdere huidprikjes). De RAST-test is echter wel duurder.

• De *inhalatie-provocatietest* Vaak reageren de huid en de slijmvliezen van neus en luchtwegen op dezelfde wijze op allergische stofjes. Voor het gemak nemen we daarom aan dat als de huidtest voor pollen positief is, de luchtwegen daar ook met een allergische reactie op zullen reageren. Er zijn echter omstandigheden dat we dat heel zeker willen weten. Stel u heeft een baan als rattenverzorger in een laboratorium van proefdieren en sindsdien heeft u wel of niet veel last van astma tijdens uw werk. Ligt dat nu aan die ratjes? In die gevallen wordt niet volstaan met een huidtest, maar laat de dokter u een extract van rattehuidschilfertjes inademen. Direct daarna wordt gemeten of de luchtwegen zich vernauwen. Dat doen we met longfunctieapparatuur (zie vraag 95). Zo'n test heet een 'allergeen-inhalatie-provocatietest'.

94
Hoe kunnen we nagaan of iemand overgevoelige luchtwegen heeft?

Zoals we in vorige vragen hebben gezien, staat de ernst van het astma in nauwe relatie tot de overgevoeligheid van de luchtwegen. Er doen zich gewoonlijk meer klachten voor naarmate de luchtwegen gevoeliger zijn.
Zowel nachtelijke klachten als hoesten, piepen en benauwdheid in de vroege ochtenduren wijzen op een verhoogde gevoeligheid van de luchtwegen. Dit geldt ook voor het optreden van inspanningsklachten (zie vraag 27) en klachten die ontstaan bij weersveranderingen en temperatuurwisselingen. En als tijdens het inademen van prikkelende dampen als sigarettenrook, baklucht en verflucht hoesten of benauwdheid optreedt, kan dat eveneens op een verhoogde gevoeligheid van de luchtwegen wijzen.

Bij de wat ernstiger vormen van astma wil de dokter graag weten hoe sterk de overgevoeligheid van de luchtwegen is. Dat kan in het longfunctielaboratorium gemeten worden. De patiënt moet dan prikkelende stoffen inhaleren en daarna wordt met een longfunctieapparaat gemeten hoe sterk de luchtwegen zich vernauwen. Het liefst zouden we willen weten wat de reactie is op het inademen van mist, uitlaatgassen, sigarettenrook en dergelijke, maar dat is technisch niet eenvoudig. Daarom wordt een algemeen prikkelende stof gebruikt die geen schadelijke effecten op de luchtwegen uitoefent. Dat kan histamine of metacholine zijn.

Zo'n onderzoek naar overgevoeligheid van de luchtwegen vindt in het longfunctielaboratorium plaats en verloopt als volgt.
• Eerst ademt de patiënt twee minuten een nevel van fysiologisch zout in. Zijn de luchtwegen heel erg gevoelig en prikkelbaar, dan kan hierdoor al een luchtwegvernauwing optreden. Deze vernauwing kan met een longfunctieapparaat gemeten worden.
• Daalt de longfunctie na inhalatie van fysiologisch zout niet of slechts heel weinig, dan inhaleert de patiënt vervolgens gedurende twee minuten een oplossing van sterk verdunde his-

tamine of metacholine. Daarna wordt opnieuw de longfunctie gemeten.

• Treedt dan nog geen vernauwing (dus longfunctiedaling) op, dan wordt opnieuw een wat minder verdunde oplossing geïnhaleerd. Elke keer wordt met een longfunctietest bekeken of de luchtwegen op de inademing van zo'n histamine- of metacholine-oplossing reageren en in welke mate. Daalt de longfunctie bij een bepaalde concentratie van een van deze stoffen met 20% of meer, dan is dat bepalend voor de mate van overgevoeligheid van de luchtwegen op dat moment. Dokters noemen dat de histamine- of metacholinedrempel. Een of twee pufjes Ventolin™ of een andere kortwerkende luchtwegverwijder zorgen er na afloop van de test weer voor dat de luchtwegvernauwing (en daardoor ontstane klachten als piepen, benauwdheid of hoesten) weer snel verholpen zijn.

Een dergelijk onderzoek heet, als histamine is gebruikt, de *histamine-provocatietest*. Wordt de test uitgevoerd met metacholine, dan wordt gesproken van de *metacholine-provocatietest*.

95

Wat is een longfunctie-onderzoek?

Meestal kan de huisarts aan de hand van klachten vaststellen of de luchtwegen vernauwd zijn of niet. Maar hoe sterk ze vernauwd zijn is vaak heel moeilijk in te schatten. We kunnen daar met een eenvoudig apparaatje wel een indruk over krijgen: de *piekstroommeter* (zie vraag 96).

Wil de dokter echter meer over uw luchtwegen weten, dan kan hij u op een *spirometer* laten blazen. Sommige huisartsen hebben zelf zo'n apparaat, anderen sturen u daarvoor naar een longfunctielaboratorium. Met het onderzoek wordt bepaald hoeveel lucht tijdens één seconde wordt uitgeblazen. Dat gaat zo: eerst helemaal uitademen, dan zo diep mogelijk inademen en zo hard en lang als u kunt in het apparaat uitademen. De hoeveelheid lucht die in één seconde wordt uitgeblazen, noemt de dokter het 'een-seconde-volume'.
Met zo'n onderzoek kan ook worden vastgesteld in welke mate de luchtwegen na inademing van een luchtwegverwijdend middel als Ventolin™ wijder worden. We spreken bij zo'n onderzoek van de *reversibiliteitstest*.

Verder kan de dokter in het longfunctielaboratorium nagaan hoeveel lucht er na een maximale uitademing in de longen achterblijft. Immers als de luchtwegen vernauwd zijn, kost het de patiënt moeite werkelijk alle lucht uit te blazen. Een dergelijk onderzoek wordt *bepalen van het residuvolume* genoemd.

Andere testen die in het laboratorium worden uitgevoerd zijn bijvoorbeeld *inspanningsonderzoek*, onderzoek naar de elasticiteit van de longen, *het meten van de compliance*, onderzoek naar de snelheid waarmee zuurstof vanuit de longblaasjes in het bloed terechtkomt, de *diffusietest* en onderzoek naar het zuurstofgehalte van het bloed in de slagaderen: de *arteriepunctie*. Deze wordt ook wel 'diepteprik' genoemd.

96
Wat is een piekstroommeter?

De piekstroommeter is een apparaatje waarmee op een eenvoudige wijze kan worden vastgesteld of en hoe sterk de luchtwegen vernauwd zijn. U kunt zich een piekstroommeter voorstellen als een langwerpig rond of plat apparaatje dat voorzien is van een mondstuk. Hierdoor kunt u lucht in het apparaat blazen. Over de lengte van de piekstroommeter is een schaalverdeling aangebracht. Een wijzertje geeft aan hoe hard u blaast. Door zo hard mogelijk in de piekstroommeter te blazen, meten we de zogenoemde *piek*-stroom.

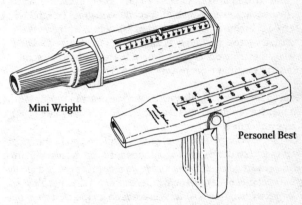

Mini Wright

Personel Best

Figuur 16. Twee verschillende piekstroommeters: links ziet u de Mini Wright en rechts de Personal Best.

Met de piekstroommeter is het mogelijk om snel en eenvoudig het een en ander over de luchtwegen te weten te komen. Het gebruik van het apparaatje is te vergelijken met dat van de koortsthermometer. U kunt zich koortsig voelen en alleen dat tegen de dokter zeggen. Maar u geeft hem meer informatie als u zegt hoe hoog de temperatuur is.
Zo is het ook als u benauwd bent. U hebt moeite met ademhalen, maar u weet niet in welke mate uw luchtwegen vernauwd zijn en hoe ernstig het met u is gesteld. U kunt zich onder dergelijke omstandigheden afvragen of u naar de dokter moet gaan of dat u de situatie zelf wel met een pufje Ven-

tolin™ aankunt. De piekstroommeter kan daar vaak een antwoord op geven.

Daarbij is het van belang naar twee gegevens te kijken:
- de hoogte van de piekstroom
- het verschil tussen de ochtend- en avondpiekstroom.

Waarom? Hoe lager de piekstroom, des te *nauwer* zijn de luchtwegen. En hoe groter het verschil tussen de ochtend- en avondpiekstroom, des te *gevoeliger* zijn de luchtwegen.

Zo kunt u met de piekstroommeter vaststellen of u in de groene, oranje of in de rode zone zit (bij vraag 22 wordt uitgelegd wat met de groene, oranje en rode zone bedoeld wordt). Figuur 17 op blz. 222-223 laat een voorbeeld van een kaart zien waarop dagelijks de piekstroommetingen in een grafiek kunnen worden weergegeven. In dit voorbeeld zijn de piekstroomwaarden aanvankelijk laag met een groot verschil tussen de ochtend- en avondwaarden. Na behandeling met een inhalatiesteroïd (in dit geval Flixotide™) treedt na enkele dagen verbetering op. De piekstroom is hoger en het verschil tussen de ochtend- en avondwaarden is kleiner.

Met andere woorden: de piekstroommeter kan meer duidelijkheid geven wat er met u aan de hand is. Dat kan de behandeling alleen maar ten goede komen.

De piekstroommeter is overigens niet alleen een hulpmiddel om vast te stellen of het wat minder goed met u gaat. U kunt dit apparaat ook gebruiken om te kijken wat er gebeurt als u probeert met bepaalde medicijnen te stoppen. Een daling van de piekstroom treedt soms veel eerder op dan er klachten ontstaan. Zo bent u nauwkeuriger in staat te volgen wat er zich in de luchtwegen afspeelt.

Tabel 8. *Mogelijkheden van de piekstroommeter.*

Met de piekstroommeter kunnen we meer duidelijkheid krijgen op vragen als:
- Heb ik astma en in welke mate? Zit ik in de groene, oranje of rode zone?
- Werken de medicijnen wel? Wat gebeurt er als ik ermee stop?
- Wanneer gaat het niet goed met me? Moet ik naar de dokter?
- Hoe ernstig is mijn benauwdheid?

De piekstroommeter is – zoals boven is aangegeven – slechts een eenvoudig apparaatje en geeft ons alleen maar een indruk over de toestand van de *grotere* luchtwegen. Willen we meer over de longen weten en met name hoe het met de *kleinere* luchtwegen gesteld is – zoals met name bij chronische bronchitis of emfyseem het geval is – dan is onderzoek met een spirometer of een uitgebreider onderzoek in het longfunctie-laboratorium noodzakelijk (zie vraag 95).

Toch heeft de piekstroommeter een heel eigen plaats bij het onderzoek naar en de behandeling van astma. Het apparaatje is niet alleen voor de dokter waardevol, maar ook de patiënt kan er zijn voordeel mee doen. In tabel 8 staat nog eens aangegeven wat we met de piekstroommeter te weten kunnen komen.

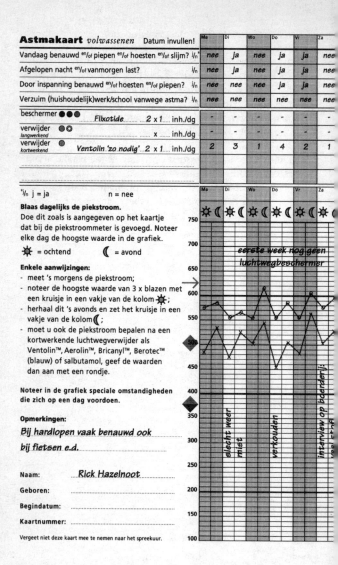

Astmakaart *volwassenen* Datum invullen!

	Ma	Di	Wo	Do	Vr	Za
Vandaag benauwd en/of piepen en/of hoesten en/of slijm? j/n	nee	ja	nee	ja	ja	nee
Afgelopen nacht en/of vanmorgen last? j/n	nee	ja	nee	ja	ja	nee
Door inspanning benauwd en/of hoesten en/of piepen? j/n	nee	nee	nee	ja	ja	nee
Verzuim (huishoudelijk)werk/school vanwege astma? j/n	nee	nee	nee	nee	nee	nee
beschermer ●●● _Flixotide_ 2 x 1 inh./dg	-	-	-	-	-	-
verwijder ●○ langwerkend .... x ... inh./dg	-	-	-	-	-	-
verwijder ● kortwerkend _Ventolin 'zo nodig'_ 2 x 1 inh./dg	2	3	1	4	2	1

j/n j = ja   n = nee

Blaas dagelijks de piekstroom.
Doe dit zoals is aangegeven op het kaartje
dat bij de piekstroommeter is gevoegd. Noteer
elke dag de hoogste waarde in de grafiek.

☀ = ochtend   ☾ = avond

Enkele aanwijzingen:
- meet 's morgens de piekstroom;
- noteer de hoogste waarde van 3 x blazen met
  een kruisje in een vakje van de kolom ☀;
- herhaal dit 's avonds en zet het kruisje in een
  vakje van de kolom ☾;
- moet u ook de piekstroom bepalen na een
  kortwerkende luchtwegverwijder als
  Ventolin™, Aerolin™, Bricanyl™, Berotec™
  (blauw) of salbutamol, geef de waarden
  dan aan met een rondje.

Noteer in de grafiek speciale omstandigheden
die zich op een dag voordoen.

Opmerkingen:
Bij hardlopen vaak benauwd ook
bij fietsen e.d.

Naam: _Rick Hazelnoot_

Geboren:

Begindatum:

Kaartnummer:

Vergeet niet deze kaart mee te nemen naar het spreekuur.

Figuur 17 Voorbeeld van een astma-invulkaart

	Ma	Di	Wo	Do	Vr	Za	Zo	Ma	Di	Wo	Do	Vr	Za	Zo
ja	ja	ja	ja	nee	nee	nee	ja	nee	ja	nee	nee	ja		
ja	ja	nee	ja	nee	nee	nee	nee	nee	nee	nee	nee	nee		
nee	ja	nee	ja	nee	nee	nee	ja	nee	ja	nee	nee	ja		
nee	nee	nee	nee	nee	nee	nee	nee	nee	nee	nee	nee	nee		
-	2	2	2	2	2	2	2	2	2	2	2	2		
-	-	-	-	-	-	-	-	-	-	-	-	-		
4	2	1	2	1	0	0	1	0	0	0	1			

tweede en derde week wel
luchtwegbeschermer

Trainer

97

Wanneer moeten we een piekstroommeter gebruiken?

De dokter kan u om verschillende redenen een piekstroommeter mee naar huis geven. We zullen er een aantal noemen.

• Allereerst kan hij u een piekstroommeter meegeven om
een indruk over de *ernst van het astma* te krijgen. Hij kan u
dan vragen om 's morgens en 's avonds één of twee weken
lang de piekstroom te blazen en de scores op grafiekpapier uit
te zetten. U krijgt de piekstroommeter hiervoor te leen. Daarbij hoort een invulkaart waarop u elke keer noteert hoeveel u
geblazen heeft (zie fig. 17 op pag. 222-223).
Ziet de dokter daarna geen aanleiding om meer onderzoek
met de piekstroommeter te doen, dan levert u het apparaatje
weer in.

• Hij kan ook vragen het apparaatje enige tijd bij u te houden
en de piekstroom alleen dan te *bepalen als de klachten weer de
kop opsteken*. Hebt u vooral last op het werk of tijdens of in
aansluiting op een griep of hebt u 's nachts aanvallen, kijk
dan ook eens hoe het dan met uw piekstroom is gesteld. Zo
kunt u zelf al min of meer bepalen wat er met u aan de hand
is, wanneer en waardoor de klachten optreden en in welke zone u dan komt (zie vraag 22). Natuurlijk is het van belang die
gegevens met de dokter te bespreken. Misschien komt u er zo
pas achter dat u regelmatig in de oranje of rode zone zit.

• Bent u eenmaal op bepaalde medicijnen ingesteld, dan kan
de dokter u vragen om bijvoorbeeld een week lang de piekstroom te noteren. Zo kan hij zich een mening vormen over
het effect van de therapie. (zie fig. 17, laatste deel van grafiek).

• Als het goed met u gaat is het belangrijk om '*uw beste piekstroom*' te kennen. Ook dit kan een reden zijn om – als u zich
heel goed voelt en goed bent ingesteld op medicijnen – enkele
dagen achtereen 's morgens en 's avonds de piekstroom te bepalen en deze te noteren.

Zo leert u de piekstroommeter waarderen als een hulpinstru-
ment om zelf een indruk te krijgen hoe het met uw astma (of
dat van uw kind) gesteld is. Mede aan de hand van de piekstroomgegevens bent u beter in staat vroegtijdig maatregelen
te nemen als het astma uit de hand dreigt te lopen.

98
Hoe moet u de piekstroommeter gebruiken?

Het gebruik van een piekstroommeter is eenvoudig. Maar toch moet u een aantal spelregels in acht nemen. Want wanneer u fouten maakt, kunnen de piekstroomgegevens te hoog of te laag uitvallen.

Zo is het belangrijk om steeds in dezelfde houding de piekstroom te bepalen, bij voorkeur staand; zittend mag ook, maar niet liggend, want dan kunt u niet maximaal blazen. De juiste instructie vindt u in tabel 9.

Tabel 9. *Gebruik van de piekstroommeter.*

- plaats het mondstuk op de meter;
- schuif de wijzer terug tot onderaan de schaalverdeling, dus zo dicht mogelijk bij het mondstuk;
- houd de meter zo vast, dat de wijzer ongehinderd kan verschuiven;
- ga staan;
- adem zo diep mogelijk in;
- open de mond en sluit de lippen rond het mondstuk;
- adem vervolgens zo kort en krachtig mogelijk uit;
- lees de stand van de wijzer af;
- schuif de wijzer weer zo dicht mogelijk naar het mondstuk;
- herhaal de procedure nog twee keer;
- noteer de hoogste waarde van 3 keer blazen op de piek stroomkaart.

Als u in de piekstroommeter blaast, schuift het wijzertje van u af en stopt dan bij een bepaald getal. Dat geeft de hoogte van de piekstroom aan. Volwassenen hebben een piekstroommeter met een schaalverdeling van 100 tot 800 liter per minuut. Kinderen hebben er een met een schaal die loopt van 50 tot 375 liter per minuut. De juiste blaastechniek staat weergegeven in onderstaande tabel:

Hoe noteert u de piekstroomwaarden? Tegelijk met de piekstroommeter krijgt u ook een invulkaart (zie fig. 17 op pag. 222-223). Hierop kunt u dagelijks de piekstroomwaarden noteren.

Het duidelijkst is om de piekstroomgegevens op grafiekpapier in te vullen. Met een kruisje geeft u aan hoeveel u hebt geblazen (de beste van 3 keer blazen). Doe dit 's morgens en 's avonds. Zo krijgen we, vooral als we over meerdere dagen metingen moeten doen, een lijn, net zoals de temperatuurcurve in het ziekenhuis.

Als de dokter u heeft gevraagd om ook na het inhaleren van Ventolin™ of een ander luchtwegverwijdend middel de piekstroom te meten, neem dan – afhankelijk van wat voorgeschreven is – een of twee pufjes, wacht tien minuten en blaas opnieuw drie keer op de piekstroommeter. Doe dit ook weer 's morgens en 's avonds. Geef nu de beste waarde aan met een rondje.
Verbind de kruisjes met de kruisjes en de rondjes met de rondjes. Zo krijgt u twee lijnen. Een die aangeeft hoe hoog de piekstroom was vóór het inhaleren van het luchtwegverwijdend middel en een ander die laat zien hoe hoog de piekstroom erna is.

HOOFDSTUK 14

Behandeling

Is het juist dat bij de meeste astmapatiënten klachten voorkomen kunnen worden als ze maar verstandig met hun aandoening omgaan en de goede medicijnen gebruiken?

Dat is inderdaad zo. We beschikken thans over dermate goede medicijnen, dat patiënten met een lichte vorm van astma en ook de meeste patiënten met een middelmatig astma geen of nauwelijks last van hun astma hoeven te hebben. En zelfs mensen met wat ernstiger vormen kunnen vaak nog duidelijk winstpunten behalen als ze dagelijks de juiste medicijnen nemen in de juiste doseringen.

Helaas blijken veel astmapatiënten weinig van hun aandoening en de medicijnen die zijn voorgeschreven af te weten. Bovendien gebruiken ze deze nogal eens onzorgvuldig. Veel mensen zijn gewend aan hun klachten en weten niet dat er nieuwe behandelmethoden en medicijnen zijn om hier iets aan te doen.
Mede daarom is in 1992 internationaal vastgelegd wat met een goede behandeling haalbaar is. Die doelstellingen zijn:
• geen klachten, zowel overdag als 's nachts;
• het probleemloos en zonder beperkingen kunnen uitvoeren van de dagelijkse bezigheden;
• ook geen klachten bij sportbeoefening, bij zware inspanning of op vakantie;
• het achterwege blijven van acute aanvallen;
• een zo goed mogelijke longfunctie, ook voor de toekomst.

Hierbij wordt benadrukt, dat deze doelstellingen alleen bereikt kunnen worden, als de patiënt zich ook voor de behandeling inzet en niet alles aan de dokter overlaat.

Met het 'astmaverkeerslicht' dat in vraag 22 uitvoerig ter sprake is gekomen, kan nagegaan worden of die doelstellingen zijn gehaald. U zit dan in de groene zone.
Om die te bereiken moet u wel weten wat er met u aan de hand is en moet u goed met allerlei invloeden en prikkels die het astma kunnen ontregelen, om weten te gaan. Het is bo-

vendien vanzelfsprekend dat u de voorgeschreven medicijnen op de juiste manier moet weten toe te passen (zie vraag 6 en 100).

De doelstellingen en kenmerken van de groene zone gelden *niet* voor patiënten met chronische bronchitis en emfyseem. Echter, ook voor een aantal van hen is verbetering mogelijk door het kennen van de eigen grenzen en daar ook naar te handelen. Daarbij past natuurlijk ook weer een juiste keuze en verstandig gebruik van medicijnen.

100

Welke medicijnen zijn er om astma, chronische bronchitis en emfyseem te behandelen?

De dokter kan een of meerdere medicijnen voorschrijven. Hieronder volgt een indeling naar hun functie:

Luchtwegbeschermers zoals Becotide™, Becloforte™, Aerobec™, Flixotide™, Pulmicort™, beclometason en budesonide. Ze behoren tot de zogenoemde inhalatiesteroïden.
De meeste zijn te herkennen aan hun bruine, bruinrode of oranje inhalator; beclometason en budesonide kunnen een andere kleur hebben. Het zijn de belangrijkste medicijnen bij de behandeling van astma en bepaalde vormen van chronische bronchitis en emfyseem (zie vraag 35 t/m 41). De dosering wordt aangepast aan de ernst ervan. Daarbij wordt natuurlijk ook rekening gehouden met het feit of het de behandeling van een kind of volwassene betreft.
Andere luchtwegbeschermers zijn Lomudal™ en Tilade™. Ze worden vooral bij wat lichtere vormen van astma voorgeschreven, met name Lomudal™ bij kinderen. Voor hele kleine kinderen die niet kunnen inhaleren, wordt Zaditen™ gebruikt.
In vraag 105 wordt dieper op deze luchtwegbeschermers ingegaan.

Kortwerkende luchtwegverwijders zoals Ventolin™, Aerolin™, Anomir™ Bricanyl™, Berotec™ en salbutamol (zie vraag 106). Dit zijn middelen die snel werken en binnen enkele minuten meer lucht geven. Hun werkingsduur ligt tussen de 4 en 6 uur. De kleur van de inhalatieapparaatjes is meestal blauw; salbutamol kan een andere kleur hebben. Tot voor enkele jaren werd geadviseerd dergelijke middelen regelmatig 3 tot 4 keer per dag te gebruiken. Tegenwoordig worden ze met name voor astma als 'zo nodig' voorgeschreven.
Atrovent™ is ook een kortwerkende luchtwegverwijder, maar werkt minder snel.
Berodual™ is een combinatiepreparaat. Het bevat Berotec™ en Atrovent™. Ook Berodual™ is een luchtwegverwijder die men kan inhaleren.

Langwerkende luchtwegverwijders zoals Serevent™, Foradil™ en Oxis™ (zie vraag 106).
Dit zijn, evenals de genoemde luchtwegbeschermers, middelen die in het algemeen twee keer per dag *geïnhaleerd moeten worden*. Ze zijn een enorme aanwinst voor patiënten die – ondanks het gebruik van luchtwegbeschermers – nog steeds klachten blijven houden. De grootste voordelen van deze middelen zijn hun lange werking en het feit dat ze weinig bijwerkingen hebben. Ze ontspannen de luchtwegen 12 uur.
Daarnaast kennen we al jaren de langwerkende luchtwegverwijders *in tabletvorm*. Voorbeelden zijn Theolin Retard™, Theolair Retard™, Unilair™, Euphylong™ en Pediaphyllin™.

Prednisonachtige middelen Deze medicijnen worden voorgeschreven als het astma of de chronische bronchitis sterk is ontregeld. In vraag 111 wordt meer over deze medicijnen gezegd. Ze kunnen in tabletvorm, als injectie of via een infuus worden gegeven. Bekend zijn prednison en prednisolon. Beide middelen lijken sterk op elkaar.

Slijmverdunnende middelen Dit zijn medicijnen die als belangrijkste doel hebben om de taaiheid van het slijm te verminderen. Ze worden dan ook vooral voorgeschreven aan patiënten met chronische bronchitis of emfyseem die moeilijk het taaie slijm op kunnen hoesten. Ook patiënten met bronchiëctasiën (zie vraag 34) kunnen baat bij deze middelen hebben.
De laatste jaren zijn er steeds meer aanwijzingen dat een aantal van deze middelen bij dagelijks gebruik het optreden van luchtweginfecties kunnen verminderen en tot op zekere hoogte achteruitgang van de longfunctie kunnen afremmen. Slijmverdunnende middelen zijn verkrijgbaar in de vorm van drank, tabletten, zakjes, poeders, bruistabletten en capsules. Bovendien zijn ze leverbaar als inhalatievloeistof. Enkele bekende middelen uit deze groep zijn: Fluimucil™, Bisolvon™, Pulmoclase™, Mucomist™ en acetylcysteïne FNA.

Wat moet ik doen als het astma me meer klachten gaat bezorgen?

Bekend is dat astma lange tijd geen problemen hoeft op te leveren en dan opeens weer de kop op kan steken, bijvoorbeeld als gevolg van een griep. Volgens het 'astmaverkeerslicht' kunt u in zo'n geval naar de oranje zone afglijden (zie tabel 6, vraag 22).
Maar dat kan ook andere oorzaken hebben; zoals bijvoorbeeld contact met allergische stofjes of omdat u – om welke reden dan ook – de beschermende medicijnen zoals Becotide™, Becloforte™, Aerobec™, Pulmicort™, Flixotide™, beclometason of budesonide niet meer zo consequent neemt. Er kunnen ook meer klachten optreden omdat u ermee bent gestopt.

In dergelijke situaties kunt u de behandeling vaak zelf bijsturen. Ga eerst eens na of u uw medicijnen inderdaad wel zo gebruikt als de dokter heeft voorgeschreven. Is dat inderdaad het geval, dan wil enige weken verdubbeling van de luchtwegbeschermers nogal eens helpen. Dat zal ook vaak het advies van de dokter zijn als u hem daarover raadpleegt. Daarbij raadt hij u dan veelal aan zo lang de hogere dosering te blijven gebruiken tot u weer in de groene zone zit. Het is verstandig er vervolgens nog een gelijk aantal dagen mee door te gaan, alvorens u weer naar de dosering teruggaat die u gewend bent.

Ook hier geldt weer dat de oranje zone alleen voor patiënten met astma is beschreven en niet voor chronische-bronchitis- en emfyseempatiënten. Nemen bij hen de klachten toe dan is voor hen in grote lijnen dezelfde manier van handelen gewenst, met die uitzondering dat vaker prednison-stootkuren (zie vraag 111) en behandeling met antibiotica (zie vraag 73) noodzakelijk kunnen zijn.

Wat moet ik doen als het astma me heel veel klachten bezorgt of als ik heel erg benauwd word?

Heeft u heel veel klachten, dan belandt u in de rode zone. Ook deze is voor astmapatiënten nader omschreven in tabel 5 van vraag 22.

Zit u in de rode zone, dan wil dat zeggen dat het astma sterk ontregeld is. Er dreigt gevaar. Medische hulp is noodzakelijk! Iedereen die astma heeft weet dat de klachten soms geleidelijk toe kunnen nemen. Maar je kunt ook binnen een aantal minuten heftig benauwd worden en in rood komen. Voor beide situaties zullen we adviezen geven.

Gaat het geleidelijk slechter:
• Bel de dokter en maak nog voor dezelfde dag een afspraak. Vertel duidelijk wat er aan de hand is, hoe benauwd u zich voelt, wat u wel en niet kunt, hoe vaak u die dag al Ventolin™ of een andere blauwe luchtwegverwijder of salbutamol hebt gebruikt en hoe hoog de piekstroom is.
• Neem vaker de 'blauwe' luchtwegverwijder, zoals Ventolin™ of salbutamol (zie vraag 106). Soms heeft u het zelfs meerdere keren per ochtend, middag, avond of nacht nodig. Heeft u een spuitbusje, maak dan gebruik van een voorzetkamer (Volumatic™ of Nebuhaler™).
• Indien u dit nog niet hebt gedaan verdubbel dan in ieder geval alvast de dosering van de 'bruine', 'bruin-rode' of 'oranje' luchtwegbeschermers Becotide™, Becloforte™, Aerobec™, Flixotide™, Pulmicort™, beclometason of budesonide (zie vraag 105).
• Het is in zo'n geval zo goed als zeker dat een prednison-'stootkuur' nodig is. Misschien adviseert de dokter u telefonisch om daar alvast meteen mee te beginnen. Neem de volgende dagen de prednisontabletten bijvoorkeur 's morgens na het ontbijt. Maak de kuur helemaal af.
• Controleer die dag en de daaropvolgende dagen aan de hand van de klachten, het aantal keren Ventolin™, Aerolin™, Bricanyl™, Berotec™ of salbutamol en met de piekstroommeter hoe u ervoor staat.

Gaat het binnen heel korte tijd (uren of minuten) slecht:

• Bel meteen de dokter: zeg duidelijk (of laat duidelijk zeggen) wat er aan de hand is, hoe hoog de piekstroom is, en hoe benauwd u bent.

• Neem in afwachting van de komst van de dokter in zo'n noodsituatie vaker de luchtwegverwijder die direct meer lucht geeft. Bij heel erge benauwdheidsklachten kan het zelfs nodig zijn om iedere 20 tot 30 minuten één of twee inhalaties Ventolin™, Aerolin™, Bricanyl™, Berotec™ of salbutamol te nemen.

• Gebruikt u deze medicijnen in een spuitbusje, maak dan gebruik van een voorzetkamer (Volumatic™ of Nebuhaler™). Heeft u die niet, maak dan zelf een soort voorzetkamer bijvoorbeeld van een plastic bekertje, waar u de bodem uitknipt.

• Probeer ondanks de ernst van de situatie niet in paniek te raken, want dan gaat u overmatig snel en krachtig ademen. Dit kost weer extra zuurstof. Bovendien worden de luchtwegen daardoor bij het uitademen extra dichtgedrukt (zie hoofdstuk 1). Denk aan de ademoefeningen die u misschien eens een keer hebt geleerd.

De situatie is zeer ernstig als:
• de luchtwegverwijder veel korter werkt dan normaal;
• lichte werkzaamheden of kleine stukjes lopen u al moeite kosten, terwijl dat anders niet het geval is;
• het ademhalen moeizaam gaat;
• u nauwelijks kunt praten;
• uw lippen of vingers blauw zijn;
• u onrustig en angstig wordt;
• u moe bent van het ademhalen en de ademhaling daardoor oppervlakkiger wordt.

Neem onder dergelijke omstandigheden direct contact op met de huisarts of met de EHBO van het ziekenhuis.

103

Hoe worden de verschillende medicijnen bij de behandeling van astma, (chronische) astmatische bronchitis en emfyseem ingezet?

Daar is veel over te zeggen. We beperken ons slechts tot de hoofdlijnen.

Bij lichte verschijnselen die maar af en toe optreden:
• Ontloop zoveel mogelijk allerlei uitlokkende prikkels en omstandigheden. Dat geldt natuurlijk voor elke CARA-patiënt, ernstig of niet.
• Incidenteel voorkomende klachten kunnen worden verholpen door inhalatie van een van de blauwe luchtwegverwijders zoals Ventolin™, Aerolin™, Bricanyl™, Berotec™ of salbutamol*.
Zijn de klachten van astmatische aard en moet u regelmatig 3 tot 4 keer per week van deze middelen gebruik maken, dan wil dat zeggen dat uw luchtwegen geïrriteerd en ontstoken zijn en dat behandeling met ontstekingsremmende en beschermende middelen nodig is.
Heeft u chronische bronchitis of emfyseem en heeft u nooit astma gehad, dan bestaat de behandeling uit meerdere keren per dag Atrovent™, al dan niet in combinatie met een van de bovengenoemde luchtwegverwijders.

Bij lichte tot matige verschijnselen:
• Lomudal™ en Tilade™ worden vooral bij de wat lichtere vormen van astma voorgeschreven. Met name Lomudal™ vindt veel toepassing bij kinderen.
Hebben deze na zes weken onvoldoende effect, dan worden de zogenaamde inhalatiesteroïden (zie vraag 105) gegeven.
• Inhalatiesteroïden zijn ontstekingsremmende en beschermende middelen die een veel bredere toepassing vinden dan Lomudal™ en Tilade™. Tot de inhalatiesteroïden horen Becotide™, Becloforte™, Aerobec™, Flixotide™, Pulmicort™, beclometason of budesonide. Het zijn middelen van eerste keuze bij de behandeling van astma. Ze worden ook steeds

* De salbutamol-inhalator kan ook een andere kleur hebben dan blauw.

meer toegepast bij patiënten met bepaalde vormen van chronische bronchitis en emfyseem. Behandeling met ontstekingremmers heeft alleen maar zin als ze langdurig (maanden en soms jaren) gegeven worden.

Ondanks deze behandeling kan het astma of de astmatische bronchitis toch nog wel eens de kop opsteken. Gedurende een paar dagen kunnen dan de wat vaker voorkomende klachten opgevangen worden met een van de 'blauwe' luchtwegverwijders zoals Ventolin™, Aerolin™, Bricanyl™, Berotec™ of salbutamol. Houden de klachten echter meerdere dagen aan, dan is dat een aanwijzing, dat de ontstekingsremmende middelen – meestal tijdelijk – verhoogd moeten worden (zie vraag 101).

Bij matige tot ernstige klachten:
• Zijn een aantal weken regelmatig meer dan 3 of 4 keer per dag een van de 'blauwe' middelen zoals Ventolin™, Aerolin™, Bricanyl™, Berotec™ of salbutamol nodig, dan verdient het aanbeveling om de inhalatiesteroïden over een langere periode te verhogen.
Waren Lomudal™ of Tilade™ voorgeschreven, dan worden deze vervangen door de 'bruine', de 'bruin/rode' of 'oranje' luchtwegbeschermers zoals Becotide™, Becloforte™, Aerobec™, Flixotide™, Pulmicort™, beclometason of budesonide**.
• Blijven ondanks deze maatregelen regelmatig klachten bestaan en is er ook 's nachts of 's morgens vroeg sprake van meer klachten dan kan één van de zogenoemde langwerkende luchtwegverwijders voorgeschreven worden. De voorkeur gaat tegenwoordig uit naar één van de te inhaleren middelen uit deze groep: Serevent™, Foradil™ of Oxis™. Zij ontspannen de luchtwegen 12 uur.
Een andere luchtwegverwijder die onder dergelijke omstandigheden voorgeschreven kan worden – vooral bij chronische bronchitis – is Atrovent™. Dit middel werkt echter korter: 4 tot 6 uur.
Ten slotte kan ook gekozen worden voor de langwerkende middelen in tabletvorm, zoals Theolin Retard™, Theolair Re-

** De beclometason- of budesonide-inhalator kan ook een andere kleur hebben dan bruin, bruinrood of oranje.

tard™, Unilair™, Euphylong™ of Theoplus™. Ze hebben echter meer bijwerkingen.

Bij ernstige verschijnselen:
• In dergelijke gevallen zijn over een langere termijn hoge doseringen Becotide™, Becloforte™, Aerobec™, Flixotide™, Pulmicort™, beclometason of budesonide aangewezen.
De moderne, langwerkende luchtwegverwijders Serevent™, Foradil™ en Oxis™ moeten soms in hogere doseringen gegeven worden.
Ook middelen als Atrovent™, Theolin Retard™, Theolair Retard™, Unilair™, Euphylong™ of Theoplus™ kunnen nodig zijn om een zo goed mogelijk resultaat te bereiken.
• Bij een sterke toename van klachten of aanvallen kan tijdelijk prednison noodzakelijk zijn. Dit medicament wordt dan in één of twee weken durende 'stootkuren' gegeven.
• In ernstige gevallen van astma, chronische bronchitis of emfyseem kan naast hoge doses inhalatiesteroïden, kortwerkende en langwerkende luchtwegverwijders dagelijkse behandeling met prednisontabletten nodig zijn.

104

Waaruit bestaat over het algemeen de behandeling van astmatische kinderen?

Voor kinderen gelden in grote lijnen de adviezen die voor volwassenen zijn weergegeven (zie vraag 103), maar toch zijn er essentiële verschillen.

Omdat er tot voor enkele jaren geen speciale inhalatie-voorzetkamers voor kleine kinderen beschikbaar waren om de medicijnen te inhaleren, werden deze veelal in de vorm van siroop of tabletjes toegediend. Inhaleren is daarentegen een veel directere en effectievere weg van behandelen. Er kunnen hogere doseringen gegeven worden, terwijl de bijwerkingen gering zijn.

Er zijn thans drie speciale voorzetkamers voor kinderen van 0-4 jaar beschikbaar, waardoor het inhaleren van medicijnen vanuit een spuitbusje vereenvoudigd wordt: de Aerochamber™, de Babyhaler™ en de metalen Nebuhaler™ (zie vraag 114).

Over het algemeen lukt het om kleine kinderen via deze speciale hulpmiddelen medicijnen te laten inhaleren. De grote voorzetkamers zoals de Volumatic™ zijn voor deze kleintjes minder geschikt. Zuigelingen en peuters bij wie het inhaleren via de voorzetkamer toch nog een probleem oplevert kunnen medicijnen inhaleren via de elektrische vernevelaar (zie vraag 114).

Sommige jonge kinderen hebben vaak al heel snel door hoe ze inhalatieapparaatjes moeten gebruiken. De ervaring leert dat kinderen goed met een zogenaamde poederinhalator zoals een Rotahaler™, Rotacap™, Diskhaler™, Diskus™ of Turbuhaler™ kunnen omgaan (zie vraag 114). Deze verdienen voor kinderen van 6 jaar en ouder de voorkeur boven de spuitbusjes, omdat met poederinhalatoren minder fouten gemaakt worden (zie vraag 114).

Ten slotte volgt hier het medicamenteuze behandelschema, zoals dat voor kinderen is opgesteld. Wat onder lichte, matige en ernstige verschijnselen wordt verstaan, is beschreven in vraag 52.

Voor elke vorm van astma geldt dat ernaar gestreefd moet worden om zoveel mogelijk allergische prikkels en prikkelende en schadelijke stoffen uit de directe omgeving van het kind te houden. We denken daarbij aan het saneren van de slaapkamer en het op andere manieren zoveel mogelijk uit de weg gaan van allergische en prikkelende stoffen. Dit is uitvoerig besproken bij de vragen 24 en 86.

Welke geneesmiddelen komen in aanmerking bij lichte verschijnselen, die af en toe maar eens optreden?
Zo nu en dan een 'pufje' van de 'blauwe' luchtwegverwijders die snel lucht geven, zoals Ventolin™, Aerolin™, Bricanyl™, Berotec™ of salbutamol. Bij meer dan 3 keer per week gebruik van deze middelen is dagelijks een luchtwegbeschermer nodig, net zoals bij de volwassenen beschreven is. Zuigelingen die veel last hebben van slijmvorming wordt nog wel eens deptropinedrank voorgeschreven.

Bij lichte tot matige verschijnselen:
Is geregeld 3 keer per week een 'blauwe' luchtwegverwijder of salbutamol nodig, dan is dagelijks inhalatie van luchtwegbeschermers zoals Lomudal™ aangewezen. Is ondanks gebruik van Lomudal™ toch nog regelmatig een luchtwegverwijdend middel zoals Ventolin™ nodig, dan duidt dat erop, dat de luchtwegen onvoldoende beschermd zijn en dat Lomudal™ mogelijk vervangen moet worden door een van de inhalatiesteroïden zoals Becotide™, Aerobec™, Flixotide™, Pulmicort™, beclometason of budesonide.
Er zijn ook artsen die direct kiezen voor behandeling met inhalatiesteroïden, zonder eerst te kijken wat het effect van Lomudal™ is. Bij kleine kinderen, die niet kunnen inhaleren, kan Zaditen™ als luchtwegbeschermer in de vorm van een drankje geprobeerd worden. Van dit middel kunt u pas na 6 tot 8 weken dagelijks gebruik effect verwachten. Dus stop er niet te snel mee!

Bij matige tot ernstige verschijnselen:
Dagelijks inhalatiesteroïden zoals Becotide™, Aerobec™, Flixotide™, Pulmicort™, beclometason of budesonide in kinderdoseringen. Lomudal™ en Tilade™ hebben bij deze vorm van astma geen plaats meer. Zo nodig luchtwegverwijders die snel lucht geven, zoals Ventolin™. Als desondanks veel

klachten blijven bestaan waardoor zo'n middel regelmatig meer dan 3 of 4 keer per dag nodig is, dan kunnen langwerkende luchtwegverwijders zoals Serevent™, Foradil™ of Oxis™ aangewezen zijn.

Eventueel kan ook een luchtwegverwijdend middel als Atrovent™ of een van de luchtwegverwijders in drankvorm zoals theofylline-drank voor kinderen of tabletten in de vorm van Pediaphyllin™, nodig zijn.

Bij ernstige verschijnselen:
Dagelijks inhalatiesteroïden zoals Becotide™, Aerobec™, Flixotide™, Pulmicort™, beclometason of budesonide, maar dan in hogere doseringen. Voor wat betreft de luchtwegverwijders gelden dezelfde adviezen als beschreven onder 'matig tot ernstig', met dat verschil dat bij oudere kinderen hogere doseringen van de middelen Serevent™ en Foradil™ nodig kunnen zijn. Soms zijn stootkuurtjes prednison noodzakelijk. In zeldzame gevallen moet dagelijks prednison gegeven worden.

105

Wat zijn luchtwegbeschermers precies?

Luchtwegbeschermers, die ook wel ontstekingremmers worden genoemd, zijn geneesmiddelen die ervoor zorgen dat de ontstekingsprocessen in de luchtwegen van patiënten met astma, chronische bronchitis en emfyseem voorkomen worden of de kop worden ingedrukt. Daarmee verminderen ze de prikkelbaarheid van de luchtwegen. Dit heeft tot gevolg dat de klachten afnemen en voor een belangrijk deel voorkomen worden. Bovendien wordt aangenomen dat ze beschadigingen die door ontstekingsprocessen worden veroorzaakt, voor een belangrijk deel kunnen voorkomen. We kunnen een aantal groepen luchtwegbeschermers onderscheiden. Deze zullen apart worden besproken.

• *Inhalatiesteroïden* zijn de bekendste en meest voorgeschreven luchtwegbeschermers. De belangrijkste vertegenwoordigers van deze groep medicijnen zijn Becotide™, Becloforte™, Aerobec™, Flixotide™, Pulmicort™, beclometason en budesonide. U kunt de eerste vijf herkennen aan hun bruine tot bruinrode of oranje inhalatieapparaatjes, de twee laatste kunnen een andere kleur hebben.
Ze houden het astma stabiel en zorgen ervoor dat de luchtwegen minder prikkelbaar zijn. Sinds een tiental jaren is bekend dat ze in veel gevallen voorkomen dat er zich in de luchtwegen ontstekingsprocessen ontwikkelen en dat ze bestaande ontstekingsprocessen in belangrijke mate onderdrukken. Populair gezegd: ze kunnen voorkomen dat er in de luchtwegen 'brand ontstaat'. Bovendien zijn er aanwijzingen dat ze kunnen voorkomen dat er op korte of lange termijn beschadigingen optreden. Hiermee zijn deze luchtwegbeschermers niet alleen middelen om de klachten te voorkomen, maar bovendien moet u het gebruik ervan zien als een investering in de toekomst. Ze hebben echter alleen effect als u ze regelmatig en langdurig inneemt.

Kort geleden zijn in Nederland twee grote studies afgerond, waarin de effecten van inhalatiesteroïden bij kinderen en volwassenen zijn bestudeerd.
De eerste studie toont aan dat kinderen die alleen met een

luchtwegverwijdend middel werden behandeld, zoals Ventolin™, veel vaker klachten hadden. De groep kinderen die naast een luchtwegverwijdend middel ook inhalatiesteroïden kregen, hadden minder klachten. Heel belangrijk is de bevinding dat de prikkelbaarheid van de luchtwegen geleidelijk afnam. Hiermee werd opnieuw bevestigd wat in de dagelijkse praktijk bekend is: de inhalatiesteroïden verminderen de klachten, verbeteren de longfunctie, verminderen de prikkelbaarheid van de luchtwegen, verminderen het optreden van inspanningsastma en dragen er ook toe bij dat er minder aanvallen optreden. Uiteindelijk kan het gebruik ervan leiden tot een vrijwel normaal leefpatroon met minder schoolverzuim en minder ziek zijn. Maar... wordt met de inhalatiesteroïden gestopt, dan komen de klachten bij de meeste patiënten geleidelijk weer terug. Bij sommigen al na een paar dagen, bij anderen duurt het wat langer.

Uit de studie over het effect van de inhalatiesteroïden bij volwassenen kunnen soortgelijke conclusies worden getrokken. Toevoeging van inhalatiesteroïden aan het dagelijks gebruik van luchtwegverwijders doet de ernst van de klachten afnemen. Er treden minder aanvallen op en de longfunctie neemt toe, terwijl de luchtweggevoeligheid afneemt. Stoppen met de inhalatiesteroïden leidt ertoe dat de klachten opnieuw de kop opsteken, bij de een wat eerder dan bij de ander.

Over het algemeen hoeven inhalatiesteroïden slechts twee keer per dag genomen te worden, tenzij de dokter anders voorschrijft. Neem ze 's morgens en 's avonds voor het tanden poetsen. Zo kunt u ze ook niet vergeten en blijven er geen resten van het medicijn in de mond achter.

• *Lomudal™ en Tilade™* horen tot een andere groep luchtwegbeschermers. Het zijn medicijnen die vooral bij de wat lichtere vormen van astma worden toegepast. Tilade™ wordt voornamelijk aan volwassenen voorgeschreven. Bij kinderen wordt meestal in eerste instantie gekeken of het astma met Lomudal™ tot rust gebracht kan worden. Voor beide middelen geldt dat als ze na 6 weken geen duidelijke verbetering hebben gegeven, vervangen moeten worden door inhalatiesteroïden.

- Aan de heel kleintjes die nog geen medicijnen kunnen inhaleren kan *Zaditen™-drank* (eventueel in tabletvorm) gegeven worden.

Is behandeling met Lomudal™, Becotide™, Pulmicort™ of Flixotide™ noodzakelijk dan is tegenwoordig inhalatie van deze middelen door middel van een spuitbusje met een speciale kinder-voorzetkamer mogelijk. Er zijn drie voorzetkamers voor kleine kinderen. De Aerochamber™, de Babyhaler™ en de metalen Nebuhaler™. Ze zijn voorzien van een speciaal kindermasker. Het gezichtsmasker, de vorm en afmetingen en het kleppensysteem van deze voorzetkamers zijn speciaal ontworpen voor gebruik bij baby's, peuters en kleuters (zie ook vraag 104). Kinderen met een ernstige vorm van astma of kinderen bij wie inhaleren met een voorzetkamer problemen oplevert, kunnen medicijnen inhaleren via een elektrische vernevelaar (zie vraag 114).

- Soms kan een kortdurende behandeling (stootkuur) met *prednison- of prednisolontabletten* nodig zijn. Ernstige patiënten moeten soms dagelijks met deze middelen behandeld worden. Over het algemeen wordt er naar gestreefd deze medicijnen vanwege de bijwerkingen zo weinig mogelijk te gebruiken (zie vraag 111). Helaas kunnen sommige patiënten niet zonder.

106

Wat zijn luchtwegverwijders precies?

Zoals de naam al aangeeft verwijden deze middelen de luchtwegen. Hierdoor gaat het ademhalen makkelijker en is de patiënt minder benauwd.
Er zijn kort- en langwerkende luchtwegverwijders. Op beide
groepen geneesmiddelen wordt wat dieper ingegaan.

Kortwerkende luchtwegverwijders
Tot de zogenoemde 'blauwe' kortwerkende luchtwegverwijders rekenen we bijvoorbeeld Ventolin™, een middel dat snel
werkt. Binnen een paar minuten na inhalatie heeft de patiënt
weer lucht.
Het luchtwegverwijdend effect houdt meestal 4 tot 6 uur aan.
Aerolin™, Airomir™, Bricanyl™ en Berotec™ behoren tot
dezelfde groep van 'blauwe' luchtwegverwijders en hebben
dus een soortgelijke werking. Dat geldt ook voor salbutamol.
Het inhalatieapparaatje van dat middel kan een andere kleur
hebben.

Een andere kortwerkende luchtwegverwijder is Atrovent™.
Het werkt minder snel dan de 'blauwe' Ventolin™-achtige
middelen. Het luchtwegverwijdend effect van Atrovent™
wordt pas goed merkbaar na 20 tot 40 minuten en houdt
eveneens 4 tot 6 uur aan. Dit middel wordt met name nogal
eens voorgeschreven aan chronische-bronchitis- en emfyseempatiënten die niet zulke acute klachten hebben.
Berodual™ is een combinatie van Berotec™ en Atrovent™.

Langwerkende luchtwegverwijders
Deze groep wordt onderverdeeld in middelen die geïnhaleerd
kunnen worden en middelen die als tablet, capsule of stroop
verkrijgbaar zijn.

• Inhalatiemiddelen
Hiertoe behoren Serevent™, Foradil™ en Oxis™. Deze langwerkende luchtwegverwijdende medicijnen kunnen met behulp van een spuitbusje of in de vorm van poeder geïnhaleerd
worden. Met name patiënten met matige en ernstige vormen
van astma, chronische astmatische bronchitis en bepaalde ca-

tegorieën emfyseempatiënten boeken duidelijke winstpunten met deze middelen. Zowel nachtelijke klachten als problemen overdag worden er beter door opgevangen.

Serevent™, Foradil™ en Oxis™ worden voorgeschreven als – ondanks behandeling met inhalatiesteroïden, zoals Becotide™, Becloforte™, Aerobec™, Flixotide™, Pulmicort™, beclometason of budesonide – de resultaten niet bevredigend zijn en het piepen en benauwdheid blijven aanhouden. Ze worden dus alleen ingezet in combinatie met deze inhalatiesteroïden.

• Middelen die in tabletvorm, als capsule of stroop verkrijgbaar zijn:

Theolin Retard™, Theolair Retard™, Unilair™, Euphylong™, Theoplus™, Pediaphyllin PL™ en theofylline zijn middelen die niet geïnhaleerd kunnen worden. Ze zijn alleen verkrijgbaar als tablet, capsule of siroop. Ze horen tot de groep van de zogenoemde theofyline-achtigen. Doordat ze een veel langere weg moeten afleggen om in de longen te komen (maag, bloedsomloop) hebben ze minder snel effect en veroorzaken over het algemeen meer bijwerkingen dan de middelen die geïnhaleerd kunnen worden. Het luchtwegverwijdend effect varieert van 6 tot 12 uur. De werking van Unilair™ houdt langer aan.

Door middel van een bloedtest (theofylline-spiegel) kan worden vastgesteld of er bij een juist gebruik van deze middelen voldoende van het geneesmiddel in het bloed terechtkomt (zie ook vraag 107).

107

Wat zijn de bijwerkingen van de medicijnen die gebruikt worden bij de behandeling van astma, chronische bronchitis en emfyseem?

Bijwerkingen van inhalatiesteroïden:
Natuurlijk zult u zich afvragen wat de bijwerkingen van inhalatiesteroïden (Becotide™, Becloforte™, Aerobec™, Flixotide™, Pulmicort™, beclometason en budesonide) zijn. Hierover is uitvoerig onderzoek gedaan.
De hinderlijkste bijwerkingen die bij de gebruikelijke doseringen voorkomen, zijn schimmelinfecties in de mond en het optreden van heesheid. Dit wordt bij 3 tot 5% van de gebruikers waargenomen.
Deze problemen kunnen voorkomen worden door de inhalatiesteroïden voor het tandenpoetsen of na het eten te inhaleren of na het gebruik ervan de mond te spoelen en het water daarna uit te spugen. Gebruikt u inhalatiesteroïden in de vorm van een dosisaërosol (spuitbusje), inhaleer dan om dergelijke problemen voor te zijn, via een voorzetkamer zoals de Volumatic™ of Nebuhaler™.
In hogere doses (bij volwassenen boven 1000 microgram per dag) kunnen de inhalatiesteroïden Becotide™, Flixotide™ en Pulmicort™ bij langdurig gebruik lichte bijwerkingen veroorzaken zoals een dunne huid en onderhuidse bloedinkjes. Dergelijke bijwerkingen treden slechts bij een klein percentage van de mensen op. Zij zijn kennelijk extra gevoelig voor dit soort middelen. Met Flixotide™ zijn gewoonlijk lagere doseringen nodig om het gewenste doel te bereiken dan met Becotide.™.

Verder is de laatste tijd veel studie gedaan naar de effecten van de inhalatiesteroïden bij kinderen. Het blijkt dat de gebruikelijke doseringen niet of nauwelijks tot bijwerkingen aanleiding geven. Wel is vastgesteld dat bij een kleine groep kinderen, die kennelijk meer gevoelig voor deze middelen zijn, tijdelijk een wat vertraagde lengtegroei wordt gezien. Zoals in vraag 49 is uitgelegd, kan dit het gevolg van het astma zelf zijn, maar het is ook mogelijk dat dit toegeschreven zou kunnen worden aan de inhalatiesteroïden. In die gevallen waarbij er een vertraagde groei werd geconstateerd, is er slechts sprake van een kortdurende verandering in de groei-snelheid, die op wat langere duur, ook tijdens gebruik van de inhalatiesteroïden, weer wordt ingehaald.

Daar het niet te voorspellen is welke kinderen wel en welke kinderen niet extra gevoelig voor deze middelen zijn, is het belangrijk om ernaar te streven om uit te komen met de laagst mogelijke dosering inhalatiesteroïden. Evenals bij de behandeling van volwassenen zijn met Flixotide™ lagere do-seringen nodig dan met bijvoorbeeld Becotide™ om het ge-wenste effect te bereiken. Aangeraden wordt om regelmatig de lengtegroei te controleren (zie ook vraag 49).

Bijwerkingen van Lomudal™, Tilade™ en Zaditen™:
– Lomudal™ kent weinig bijwerkingen. Sommige patiënten klagen nogal eens over prikkelhoest als zij de poedervorm van Lomudal™ gebruiken. Dit probleem kan opgelost worden door aan de dokter een dosisaërosol (spuitbusje) te vragen.
– Tilade™ heeft een aparte smaak. In sommige gevallen kunnen hoofdpijn en misselijkheid optreden.
– Zaditen™ kent eveneens weinig bijwerkingen: slaperig-heid, een droge mond en duizeligheid.

Bijwerkingen van de luchtwegverwijders die geïnhaleerd worden:
– Middelen als Ventolin™, Aerolin™, Bricanyl™, Bero-tec™ en salbutamol veroorzaken bij sommige patiënten hartkloppingen en trillingen van de handen, vooral bij hoge-re doseringen. Daarnaast kunnen rusteloosheid en, in spora-dische gevallen, spierkrampen optreden. Deze middelen worden afgeraden als bepaalde aandoeningen van de schild-klier in het spel zijn. Ook bij hartpatiënten is voorzichtigheid geboden.
– Serevent™, Foradil™ en Oxis™ hebben min of meer de-zelfde bijwerkingen als de Ventolin™-achtige middelen. In hogere doseringen kan men wat meer last hebben, met name van trillingen.
– Atrovent™ geeft als bijwerkingen: een droge mond, duize-ligheid, hoofdpijn en misselijkheid.

Bijwerkingen van luchtwegverwijders die als tablet, capsule of stroop worden ingenomen:
– Theolin Retard™, Theolair Retard™, Unilair™, Euphylong™, Theoplus™, Pediaphyllin™ en theofylline-drank kunnen een irriterende werking op de maagwand hebben, waardoor misselijkheid, maagpijn en braken kunnen optreden. Het is moeilijk om voor de individuele patiënt de juiste dosering te vinden. Daarom wordt aangeraden bij het begin van de behandeling en vervolgens elk half jaar de zogenoemde bloedspiegel te laten bepalen. Daarbij wordt gekeken hoe hoog de concentratie van theofylline in het bloed is. Deze moet tussen de 8 en 15 mg/l liggen. Wordt de grens van 20 mg/l overschreden, dan kan hoofdpijn optreden, evenals misselijkheid en braken. Let daar dus op. Het kunnen tekenen van te hoge doseringen zijn. Sommige patiënten krijgen hartkloppingen. Bij sterke overdosering kunnen stuipen optreden.

Bijwerkingen van prednison en prednisolon:
Deze middelen hebben veel bijwerkingen, maar deze worden niet of nauwelijks geconstateerd tijdens een prednisonstootkuur! Wel bij langdurig gebruik. Ze nemen toe bij hogere doseringen. Ze kunnen aanleiding geven tot bloeddrukverhoging, een opgezet, rood gezicht (vollemaansgezicht), botontkalking, maagklachten, een vorm van suikerziekte, een zogenoemde luie bijnier, dunne huid, onderhuidse bloedinkjes, in sommige gevallen stemmingsveranderingen en bij kinderen een vertraagde lengtegroei. De bijwerkingen zijn verder uitgewerkt in vraag III.

Moet ik als astmapatiënt mijn hele leven medicijnen nemen?

Dit hangt af van aard en de ernst van het astma en hoe het ziektebeeld zich ontwikkelt.

• Kinderen kunnen alleen in hun eerste levensjaren last hebben en medicijnen nodig hebben en er vervolgens overheen groeien.

• Sommige mensen hebben zo'n lichte vorm van astma, dat medicijnen niet nodig zijn.

• Anderen hebben alleen in bepaalde seizoenen last en daarom alleen maar in die perioden medicijnen nodig.

• En tenslotte is er een grote groep patiënten die inderdaad hun hele leven lang door het astma worden achtervolgd en daarom ook hun hele leven lang medicijnen moeten gebruiken.

Astma is een grillige aandoening die ineens kan verergeren, bijvoorbeeld als het hooikoortsseizoen aanbreekt of als er in de herfst meer huisstofmijten aanwezig zijn. U kunt dan juist in die periode luchtwegbeschermers en luchtwegverwijders nodig hebben en de rest van het jaar niet.
Bent u allergisch dan wordt het astma met het stijgen van de leeftijd vaak rustiger en hoeft u minder medicijnen te nemen. 'U groeit eroverheen.'

Maar het kan ook anders lopen. De klachten blijven steeds weer terugkomen of nemen zelfs in de loop van de jaren toe. En dat betekent dat dagelijks medicijnen nodig zijn, maanden, ja zelfs vele jaren.
Door het grillige karakter van astma is van tevoren meestal niet te bepalen of iemand z'n hele leven medicijnen zal moeten blijven gebruiken. Het hangt af van uw persoonlijke situatie. De ervaring leert wel dat mensen met een middelmatige of ernstige vorm van astma meestal hun hele leven op medicijnen zijn aangewezen. Dat geldt ook voor veel patiënten met chronische bronchitis en emfyseem.

Worden luchtwegen gevoeliger als vaak luchtwegverwijdende middelen worden gebruikt?

De afgelopen tijd is er veel discussie geweest over het gebruik van luchtwegverwijders, zoals Ventolin™, Aerolin™, Bricanyl™, Berotec™ en salbutamol. Deze medicijnen zouden de luchtwegen gevoeliger maken. Ook is gesuggereerd dat langdurig en regelmatig gebruik van luchtwegverwijders de longfunctie nadelig zou kunnen beïnvloeden. Wat is daar nu precies van waar?
Iedereen is het erover eens dat luchtwegverwijdende middelen van essentieel belang zijn bij de behandeling van astma, mits we ze op de juiste manier gebruiken. Zoals we gezien hebben worden kortwerkende luchtwegverwijders (de blauwe) gebruikt om de luchtwegen binnen korte tijd te ontspannen. Daardoor heeft u na inhalatie van bijvoorbeeld Ventolin™ of salbutamol binnen een paar minuten lucht.

Echter, het belangrijkste probleem van astma is niet het aanspannen van de luchtwegspiertjes, maar de luchtwegontsteking. Wordt het astma dat regelmatig klachten veroorzaakt niet behandeld met luchtwegbeschermers, die de oorzaak van astma – de ontsteking – aanpakken, dan bestaat de kans dat de luchtwegen steeds meer geïrriteerd en gezwollen raken. Daarbij is de mogelijkheid niet uitgesloten dat ze door die ontsteking beschadigingen oplopen.
De klachten komen bovendien steeds weer terug en u bent dan geneigd steeds opnieuw een 'blauwe' luchtwegverwijder te gaan gebruiken. Dat lost uiteindelijk niet het probleem op. Ook bestaat de mogelijkheid dat de klachten verder toenemen en dat in de loop van een aantal jaren de longfunctie achteruit kan gaan. Dat is dus niet toe te schrijven aan het gebruik van luchtwegverwijders, maar is het gevolg van het niet gebruiken van middelen als Becotide™, Becloforte™, Aerobec™, Flixotide™, Pulmicort™, beclometason of budesonide, die de ontstekingsprocessen in de luchtwegen moeten remmen en de kop indrukken.

Ga je aan astmamedicijnen wennen als je ze dagelijks neemt?

Het antwoord hierop kan heel kort zijn: nee! Regelmatig gebruik van luchtwegbeschermers of luchtwegverwijders heeft niet tot gevolg dat dergelijke middelen op de lange duur minder goed of misschien helemaal niet meer werken. U moet er ook niet steeds meer van gaan nemen, omdat ze minder effect hebben. Met andere woorden: het lichaam gaat er niet aan wennen.

Een uitzondering moet gemaakt worden voor langdurig gebruik van prednison en prednisolon. Doordat de bijnier door het chronisch gebruik van prednison steeds minder actief wordt (zie vraag 111 en 112) kan in de loop van de jaren een wat hogere dosis nodig zijn.

Het is daarom van belang om, als het enigszins kan, de doseringen zo laag mogelijk te houden en de tabletten 's morgens vroeg te nemen, zodat de bijnier de rest van de dag niet geremd wordt en actief blijft (zie vraag 112).

Wat zijn corticosteroïden? Moeten we er bang voor zijn? Wat is prednison en prednisolon, hoe werken ze en wat zijn de bijwerkingen?

Corticosteroïden zijn hormonen die door de bijnier worden gemaakt. Cortisol is er één van. Corticosteroïden zijn levensbelangrijke stoffen. Als de bijnier te weinig van deze hormonen maakt, raken allerlei processen in het lichaam ontregeld. In ernstige gevallen is dat niet met het leven verenigbaar.

Corticosteroïden kunnen ook als geneesmiddel worden gebruikt zoals bij de behandeling van reuma, huidziekten, allergische aandoeningen en CARA. Middelen als prednison en prednisolon zijn de bekendste. Prednisolon werkt wat sneller. Beide middelen zijn echter even sterk.

Naast de gebruikelijke preventieve maatregelen en luchtwegverwijdende middelen werden voor de komst van de inhalatiesteroïden prednison- of prednisolontabletten voorgeschreven om de ontstekingen in de luchtwegen bij astma, chronische bronchitis en emfyseem tegen te gaan. Hun belangrijkste effecten op de luchtwegen zijn:
– het onderdrukken en voorkomen van ontstekingsreacties;
– het verminderen van de zwelling van het slijmvlies die bij een ontstekingsproces optreedt;
– het versterken van de werking van luchtwegverwijdende middelen als Ventolin™, Aerolin™, Bricanyl™, Berotec™, salbutamol, Serevent™, Foradil™ en Oxis™;
– het tegengaan van beschadigingen van de luchtwegen die door ontstekingsprocessen kunnen optreden.

Het is niet verwonderlijk dat deze middelen – toen ze pas bekend waren – voor veel patiënten een doorbraak in hun behandeling betekende. Binnen een paar dagen verminderden in veel gevallen de klachten, waardoor het leven van menig CARA-patiënt drastisch veranderde.

Na de eerste gunstige ervaringen verschenen echter al spoedig berichten over bijwerkingen. Want de bijnierschorshormonen die via tabletten, injecties of infuus worden toegediend, bereiken niet alleen de luchtwegen, maar verspreiden zich via het bloed door het hele lichaam. Dat veroorzaakt bij langdurig gebruik effecten op andere organen, die al dan niet zichtbaar of merkbaar zijn. Ze treden echter niet of nauwelijks op bij stootkuren van 7 tot 10 dagen.

Bijwerkingen kunnen optreden bij langdurig gebruik van die doseringen prednison of prednisolon, die hoger liggen dan één tot anderhalve tablet per dag (5 tot 7,5 mg). Ze kunnen van heel uiteenlopende aard zijn: gewichtstoename, bloeddrukverhoging, een opgezet (vollemaans)gezicht, botontkalking, dunner worden en verminderde kracht van de spieren, een dunne huid, onderhuidse bloedinkjes met name op de armen, striae, maagklachten, een vorm van suikerziekte, staar, vertraagde lengtegroei bij kinderen, een zogenoemde 'luie bijnier', verhoogde gevoeligheid voor infecties en soms psychische stoornissen. Of er bijwerkingen optreden, bij wie en in welke mate is niet vooraf aan te geven. Sommige patiënten hebben er veel last van en soms ook al bij lagere doseringen. Bij anderen worden ze pas merkbaar als ze langdurig hoge doseringen gebruiken.

De vele bijwerkingen van de prednison en prednisolon waren aanleiding om naar medicijnen te zoeken die wel de voordelen, maar niet (of in veel mindere mate) de nadelen van de coticosteroïden hadden.
Zo zijn de inhalatiesteroïden ontwikkeld. Becotide™ verscheen als eerste op de markt. Becloforte™ en Aerobec™ bevatten dezelfde stof. Pulmicort™ is van latere datum.
Sinds medio 1994 is een nieuw inhalatiesteroïd beschikbaar gekomen: Flixotide™. Met dit middel zijn vaak lagere doseringen nodig dan gewoonlijk bij middelen als Becotide™ gebruikt worden om toch de gewenste effecten te verkrijgen. Daardoor neemt de kans op bijwerkingen ook af (zie vraag 49).

In vraag 105 hebben we gezien dat de inhalatiesteroïden tegenwoordig in het algemeen als eerste middel worden gekozen om luchtwegaandoeningen zoals astma en chronische bronchitis te behandelen. Omdat bij de meeste patiënten bij toediening via inhalatieapparaatjes voldoende hoge doseringen in de luchtwegen komen, zijn ze uitermate waardevol. Door de directe toepassing in de luchtwegen werken ze snel en effectief en komen er bij de gebruikelijke doseringen geen of slechts zeer geringe hoeveelheden in het bloed.

Helaas zijn er een aantal mensen met ernstige vormen van CARA, die naast hoge doseringen inhalatiesteroïden en meerdere luchtwegverwijders toch dagelijks prednison moeten nemen. Er zijn dan enkele punten waar rekening mee gehouden moet worden. Deze vindt u in vraag 112.

112

Waar moet u rekening mee houden als u langdurig prednison of prednisolon gebruikt?

De praktijk leert dat kuurtjes prednison of prednisolon van 7 tot 10 dagen niet of nauwelijks tot bijwerkingen aanleiding geven. Deze kunnen wel optreden als dergelijke middelen langer gebruikt worden. In vraag 107 en 111 zijn ze op een rij gezet. Hoe kunt u ze zoveel mogelijk voorkomen en waar moet u op letten?

Op de eerste plaats kunnen er verschijnselen optreden die overeenkomen met *een te hard werkende bijnier*. Naast de eigen productie van het hormoon cortisol, krijgt het lichaam immers nog eens extra hormonen in de vorm van tabletten, injecties of een infuus toegediend. De gevolgen kunnen zijn: gewichtstoename, hoge bloeddruk, verhoogd suikergehalte in het bloed en botontkalking. Tegen elk van deze genoemde bijwerkingen kunt u wel wat doen:

• Gebruik zo weinig mogelijk zout. Daardoor kunt u gewichtstoename min of meer in de hand houden. Prednisonachtige middelen bevorderen soms sterk de eetlust. Probeer hier niet aan toe te geven. Komt er hoge bloeddruk in de familie voor, laat dat de dokter weten. Dan is extra controle nodig.

• Komt er suikerziekte voor in de familie, geef dit dan ook door aan de dokter. Misschien heeft u er ook aanleg voor en is nader onderzoek in die richting noodzakelijk. Heeft u suikerziekte, let er dan op dat bij verandering van de dagelijkse doseringen prednison veranderingen in de bloedsuikers kunnen optreden.

• Blijf goed in beweging. Uw spierstelsel krijgt dan minder kans om wat van zijn kracht te verliezen. Bovendien worden de botten door de dagelijkse beweging meer gestimuleerd om kalk op te nemen. Bouw daarom als het enigszins kan een dagelijkse wandeling van minstens 20 minuten in uw dagprogramma in.

Soms zijn medicijnen nodig om botontkalking tegen te gaan.

Op de tweede plaats moeten we de gevaren van *een te langzaam werkende bijnier* kennen en niet uit het oog verliezen. Want door het dagelijks prednis(ol)on-gebruik neemt de werking van de bijnier af. De bijnier wordt 'lui'. Zonder er iets voor te doen komt er immers toch wel voldoende prednison – dat hetzelfde is als cortisol – in het bloed... tenminste zolang u de medicijnen blijft nemen en er niet extra cortisol nodig is. Bij veel mensen die langdurig dagelijks prednis(ol)on gebruiken, wordt de bijnier minder actief en maakt minder en minder snel hormonen zoals cortisol aan.

Waar moet u aan denken en op letten?
• Als tijdens infectie, ziekte, na een ongeval of een operatie het lichaam extra veel bijnierschorshormonen vraagt, zal de bijnier deze niet of niet voldoende snel kunnen leveren. Deze is er immers niet meer aan gewend om zoveel van zijn eigen middelen in zo'n korte tijd te produceren. Het is daarom van groot belang dat in dergelijke situaties het lichaam extra bijnierschorshormonen krijgt toegediend in de vorm van prednisontabletten of -injecties. Zorg er daarom voor altijd een medicijnpaspoort bij u te hebben waarop dit soort gegevens en adviezen vermeld staan.
• Neem de prednisontabletten niet over de dag verdeeld in, maar 's morgens allemaal tegelijk, tenzij de dokter dit anders heeft voorgeschreven. Daardoor stimuleren we de bijnier om de rest van de dag 'voor zich zelf te zorgen' en zelf zijn cortisol te produceren.
• Het gebruik van prednis(ol)on-tabletten mag nooit plotseling gestaakt worden. Dit moet geleidelijk gebeuren om de luie bijnier weer te stimuleren tot een normale hormoonproductie. Doe dit altijd in nauw overleg met de dokter.
• Ook maanden – ja zelfs jaren – na het stoppen van deze medicijnen kan de bijnier nog onvoldoende actief zijn en kan het nodig zijn in noodsituaties extra prednison te geven.

N.B. Naast al deze nadelen en bijwerkingen van het langdurig gebruik van prednison en prednisolon moet nogmaals benadrukt worden dat een *kortdurende* prednis(ol)onkuur *nauwelijks bijwerkingen* veroorzaakt. Aarzel dus niet ze te nemen als de dokter van mening is dat het nodig is. Korte kuren prednison of prednisolon kunnen soms levenreddend zijn, ze kunnen ziekenhuisopname voorkomen en ervoor zorgen dat uw toestand binnen een paar dagen verbetert.

Waarom wordt bij de behandeling van astma de voorkeur gegeven aan medicijnen die geïnhaleerd moeten worden boven tabletvorm?

De eenvoudigste toepassing van een geneesmiddel is de crème of zalf. Bij huidafwijkingen worden deze op de huid gesmeerd en in veel gevallen verdwijnen de afwijkingen. Bij longpatiënten kan men zich op deze manier de 'plaatselijke behandeling' van de luchtwegen door inhalatiemiddelen voorstellen.

Door inademing kan het geneesmiddel direct met de luchtwegen die vernauwd, geïrriteerd, of ontstoken zijn, in contact gebracht worden. Dit brengt enige voordelen met zich mee:
– Het geneesmiddel werkt snel doordat het direct op de plaats waar het zijn aangrijpingspunten heeft, aangebracht kan worden.
– Er zijn minder hoge doseringen nodig. Met de inhalatiemethoden is maar één tiende van de hoeveelheid van het geneesmiddel nodig, die anders in tabletvorm nodig zou zijn.
– Het geneesmiddel komt niet of nauwelijks in de bloedbaan, zodat het niet of nauwelijks tot ongewenste bijwerkingen kan leiden.

De inhalatietherapie kent echter ook haar beperkingen. Zo kunnen patiënten die door hun astma, chronische bronchitis of emfyseem kortademig zijn, minder goed inhaleren, waardoor er te weinig van het geneesmiddel in de longen terechtkomt. Als men daarbij bedenkt dat onder normale omstandigheden bij gebruik van het spuitbusje minder dan 10% van het geïnhaleerde medicament in de longen terechtkomt(!), is het van groot belang de juiste inademingstechniek (inhalatietechniek) toe te passen of van andere hulpmiddelen gebruik te maken die ervoor zorgen dat de geneesmiddelen beter in de luchtwegen terechtkomen (zie vraag 114).

114
Wat is de juiste inhalatietechniek en welke inhalatieapparaatjes zijn verkrijgbaar?

Medicijnen kunnen met spuitbusjes, met poederinhalatoren of door middel van elektrische vernevelaars geïnhaleerd worden.

• Bij gebruik van een dosisaërosol (spuitbusje, spray) komt slechts 10% of minder van het medicijn in de longen terecht. Ongeveer 80% blijft in de mond- en keelholte achter en wordt ingeslikt. De rest blijft aan het apparaatje kleven of wordt uitgeademd. Om een maximaal effect van het geneesmiddel te verkrijgen gelden voor het gebruik van het spuitbusje de volgende inhalatierichtlijnen:

– schud het spuitbusje voor gebruik, haal dopje eraf;
– adem volledig uit;
– plaats het spuitbusje tussen de lippen en tanden;
– houd het hoofd iets achterover en druk de tong naar beneden;
– begin langzaam in te ademen en druk op het spuitbusje;
– adem verder langzaam en diep in;
– houd de adem 5 tot 10 tellen vast;
– adem rustig uit.

De adem moet worden vastgehouden om de geneesmiddelendeeltjes de kans te geven zich aan de wand van de luchtwegen te hechten. Dat kost even tijd. Zou u direct daarna weer uitademen, dan wordt een deel van de de medicijndeeltjes weer naar buiten geblazen.

Het blijkt echter dat meer dan 40% van de gebruikers van de dosisaërosol zodanige fouten bij het inhaleren maakt dat er maar weinig van het geneesmiddel in de luchtwegen terechtkomt. De meest voorkomende fout is dat men op het spuitbusje drukt terwijl men op dat moment niet, te vroeg of te laat inademt.

Deze en nog andere fouten waren de belangrijkste redenen om voorzetkamers te maken. Daardoor wordt als het ware het mondstuk van het spuitbusje verlengd. Sommige fabrikanten hebben kleine, andere grote en lange voorzetkamers geconstrueerd. Ze hebben uiteenlopende namen: Volumatic™, Nebuhaler™, Fisonair™, Spacer™, Aerochamber™, Aerotube™ en Babyhaler™. De Aerochamber™ en de metalen Nebuhaler™ kunnen met een speciaal kindermasker geleverd worden. De Babyhaler™ is specifiek voor kinderen van 0-4 jaar ontwikkeld. Met name de grotere voorzetkamers zoals Volumatic™, Nebuhaler™ en Aerochamber™ hebben hun nut de laatste jaren duidelijk bewezen. Dit geldt ook voor de specifieke kindervoorzetkamers. De voordelen zijn:

– De coördinatie tussen het drukken op het spuitbusje en het inhaleren is niet meer van belang. De patiënt hoeft beide handelingen niet tegelijk uit te voeren. Omdat het medicament enkele seconden als nevel in de voorzetkamer blijft hangen, heeft de patiënt iets meer tijd om te inhaleren wanneer hij wil of kan. Dit laatste is belangrijk bij een ernstige astma-aanval. Uit onderzoek blijkt echter dat het wel van belang is dat de patiënt het medicament moet inhaleren direct nadat dit in de voorzetkamer is gebracht. Hoe langer men wacht, des te meer geneesmiddeldeeltjes op de wand neerslaan of op de bodem zakken. Aangeraden wordt om het medicament te inhaleren 2 tot 5 seconden nadat het in de kamer is gespoten.

– Verder kost het patiënten die minder sterke inademingsspieren hebben, zoals kleine kinderen en emfyseempatiënten nauwelijks moeite om medicijnen via een voorzetkamer te inhaleren.

– De geneesmiddelen worden niet met hoge snelheid tegen de achterste keelwand en de stembanden gespoten. Hierdoor worden schimmelinfecties en heesheid – beide bijwerkingen van inhalatiesteroïden – voor een belangrijk deel voorkomen.

– Verder blijkt dat meer dan de genoemde 10% (studies geven waarden tussen de 13 en 20%) in de longen terechtkomt. Men heeft daarbij ook meer zekerheid dat het geïnhaleerde medicament tijdens astma-aanvallen in de luchtwegen belandt, zelfs als een slechtere ademtechniek wordt toegepast als gevolg van panieksituaties.

De laatste jaren zijn er enkele nieuwe feiten over het inhaleren van medicijnen via dosisaërosol een voorzetkamer bekend geworden. Zoals boven al is aangegeven, blijven de geneesmiddelendeeltjes enige seconden als een wolk in de voorzetkamer hangen. Daarna zakken ze naar de bodem of worden door de statische lading van de voorzetkamer naar de wand toe getrokken en slaan daar dan op neer.
Dit laatste kan men tegengaan door een antistatische laag in

de voorzetkamer aan te brengen, zoals bij de metalen Nebu-
haler™ het geval is. Maar ook de plastic voorzetkamers (Volu-
matic™, Babyhaler™) kan men van hun statische lading ont-
doen:
– Was de nieuwe plastic voorzetkamer voor het gebruik een
keer in een sopje met afwasmiddel, spoel hem af en laat hem
aan de lucht drogen.
– Uit onderzoek blijkt verder dat het voldoende is om daarna
de plastic voorzetkamer bij regelmatig gebruik één keer per
week op de boven beschreven manier te wassen om de invloed van de statische lading van de wand van de voorzetkamer op de geneesmiddelendeeltjes tegen te gaan.
Overigens wordt ook om hygiënische redenen aangeraden de
voorzetkamers regelmatig af te wassen.

Ten slotte heeft men gekeken naar wat er gebeurt als men
meerdere pufs van een geneesmiddel achter elkaar in de voorzetkamer spuit en daarna inhaleert.
Nadat men de eerste keer op het spuitbusje heeft gedrukt,
blijven de geneesmiddelendeeltjes enige seconden als een nevel in de kamer hangen. Spuiten we direct daarna een tweede
puf in de kamer, dan botsen de deeltjes van die tweede puf tegen de deeltjes van de eerste. Deze schieten daardoor weg en
botsen op hun beurt tegen de wand en slaan daarop neer. Dat
is ook het lot van een deel van de deeltjes van de tweede puf.

Tabel 10. *Tips voor het gebruik van de plastic voorzetkamers.*

Hoe krijg je het best je geneesmiddel binnen met een voorzetkamer?
- schud het spuitbusje
- schuif dit op de voorzetkamer
- spuit er niet meer dan één puf tegelijk in
- inhaleer direct daarna, binnen twee tot vijf seconden

Hoe werkt de voorzetkamer het best?
- was een nieuwe voorzetkamer voor gebruik in een sopje van
  afwasmiddel
- spoel hem onder de kraan af
- laat hem aan de lucht drogen, dus niet met een doek afdrogen
- doe dat minstens één keer per week

Vuren we een derde of nog meer pufs af, dan botsen er nog meer deeltjes tegen elkaar, waardoor ook die tegen de wand vliegen. Vergelijk dit maar met een file auto's, waar almaar andere auto's van achteren op in rijden.
Uit metingen blijkt dat het het best is om één puf tegelijk in de voorzetkamer te spuiten en daarna te inhaleren. Is een tweede of derde puf nodig, herhaal dan deze procedure.

Natuurlijk heeft men geprobeerd om spuitbusjes te ontwikkelen waarbij de patiënt minder kans loopt om bij het inhaleren fouten te maken. Zo'n apparaatje is de Autohaler™. Deze vuurt vanzelf het geneesmiddel af op het moment dat de patiënt inhaleert. Daarmee is het probleem van tegelijk op het spuitbusje drukken en inademen ondervangen. Wel moet de patiënt over voldoende 'inademingskracht' beschikken.
Een nieuwe ontwikkeling op het gebied van de spuitbusjes is de vervanging van het drijfgas. Vele jaren zijn daar de zogeheten chloorfluorkoolwaterstoffen (CFK's) voor gebruikt. Daar deze groep stoffen de ozonlaag aantast, is internationaal bepaald dat fabrikanten CFK's moeten vervangen door stoffen die minder schadelijk voor de ozonlaag zijn. Het eerste spuitbusje dat aan die voorwaarde voldoet is Airomir™ (salbutamol). In korte tijd zullen Ventolin™, Flixotide™ en enkele andere ook geleverd kunnen worden met een CFK-vervanger. Deze spuitbusjes kunnen er iets anders uitzien dan gebruikelijk en ook de smaak kan anders zijn.

• *Poederinhalatoren* verdienen over het algemeen de voorkeur boven de spuitbusjes. Het belangrijkste voordeel is dat men door eigen inademingskracht op het moment dat men het zelf wil, het medicijn kan inhaleren. Er zijn verschillende typen:
– De poederinhalatoren die men vóór elke inhalatie moet vullen met een capsule of patroon. Zo zijn er bijvoorbeeld Rotacaps™ voor Ventolin™ en Inhalettes™ voor Berotec™ en Atrovent™. Door draaibewegingen (Rotacap™) of met behulp van een pennetje (Inhalette™) komt poeder vrij. Bij het inhaleren van het poeder moet krachtiger geïnhaleerd worden dan bij inhalatie uit een spuitbusje. Sommige mensen hebben hier moeite mee, vooral diegenen die weinig kracht hebben, zoals kleine kinderen en emfyseempatiënten en natuurlijk weer patiënten die een astma-aanval hebben; deze zijn

aangewezen op een spuitbusje met voorzetkamer. Maar over het algemeen levert dit voor het merendeel van de patiënten weinig problemen op.

– Sinds enkele jaren zijn er poederinhalatoren die meerdere doses van het medicijn bevatten en waarvoor minder kracht nodig is om het medicijn binnen te krijgen. Het zijn de Diskhaler™, de Diskus™ en de Turbuhaler™.

De Diskhaler™ is een plat doosje voorzien van een mondstuk. In het doosje bevindt zich een schuiflade. Daarin passen schijfjes die 4 of 8 aparte vakjes met inhalatiepoeder (Flixotide™, Serevent™ of Ventolin™) bevatten. Door het dekseltje van de Diskhaler™ omhoog te trekken, wordt de boven- en onderkant van het vakje doorgeprikt. Na het sluiten is de Diskhaler™ klaar voor gebruik.

Begin 1997 is een nieuw type inhalatieapparaatje op de markt gekomen: de Diskus™. Hierin bevindt zich een opgerolde strip met zestig afgepaste doseringen Flixotide™. Met twee draaibewegingen is het apparaat klaar voor gebruik. Met de eerste draaibeweging wordt het mondstuk geopend en met de tweede wordt het vakje geopend en voor het mondstuk gedraaid. Beide apparaatjes bevatten een telmechanisme en voor beide geldt dat door de speciale manier van verpakken het poeder niet in contact met vocht kan komen.

De Turbuhaler™ is buisvormig en bevat 200 afgepaste poederhoeveelheden (Bricanyl™, Pulmicort™, Oxis™ of salbutamol). Door een draaimanoeuvre van de geribbelde draaiknop aan de onderzijde van het apparaat, komt een afgepaste dosering beschikbaar, klaar om geïnhaleerd te worden.

• Ten slotte kunnen medicijnen geïnhaleerd worden door middel van *elektrische vernevelaars*. Dit zijn apparaten die geneesmiddelen in vloeistofvorm verstuiven. De nevel waarin zich het geneesmiddel bevindt, wordt via een masker of een mondstuk geïnhaleerd. In ziekenhuizen wordt er veel gebruik van gemaakt. Kleine kinderen en emfyseempatiënten gebruiken ze ook thuis. Verder kunnen ze van nut zijn voor patiënten die vaak ernstige aanvallen hebben. Zij worden meestal door het ziekenfonds of de particuliere ziektekostenverzekeraars in bruikleen gegeven.

115
Hoe kan ik controleren of het spuitbusje leeg is?

Aan de buitenkant van het spuitbusje is niet te zien hoeveel medicijn er nog in zit. Hoe kunt u er dan achter komen of er nog medicijn in het spuitbusje zit en hoeveel. Er zijn vier manieren.

• Wanneer het spuitbusje naast het oor wordt geschud is over het algemeen goed te horen of er nog wat inzit. U hoort dan een klotsend geluid van de vloeistof. Dit zegt echter niets over de hoeveelheid pufs die er nog in zit. Het kan zelfs zijn dat er alleen nog maar drijfgas in het reservoirtje zit, zonder medicijnvloeistof. Dit is dus een onbetrouwbare methode.

• Als er een datum van afgifte op het spuitbusje staat en het medicijn wordt dagelijks twee of drie keer genomen, dan is uit te rekenen hoeveel dagen u er nog mee toe kunt komen.

• Het spuitbusje wegen is een andere manier om erachter te komen hoeveel medicijn er nog in zit. Meestal weegt een vol spuitbusje ongeveer 30 gram; een leeg busje 8 gram. Dit kan echter per merk wel wat verschillen.

• Een veel gebruikte methode om snel te testen hoeveel medicijn er nog in het reservoirtje zit, is om dit in een bakje met water te leggen en te kijken wat het doet: blijven drijven, zweven of zinken. Deze test gaat als volgt:
– Haal het reservoirtje uit de houder en leg dit in een bakje met water.
– Blijft het reservoirtje in horizontale stand drijven, dan wil

Figuur 18. *Hoeveel zit er nog in het spuitbusje? Door het reservoirtje in een bakje met water te leggen kan men controleren hoeveel er nog in het busje zit.*

dat zeggen dat er niets of nog maar heel weinig medicijn in zit.

– Hoe meer het reservoirtje met zijn 'kop' onder water verdwijnt, des te meer zit er nog in.

– Zakt het busje helemaal naar de bodem, dan is het nog (zo goed als) vol (zie fig. 18).

Wanneer zal de huisarts een patiënt met astma, chronische bronchitis of emfyseem doorverwijzen naar een specialist (kinderarts/longarts)?

Uit vraag 92 blijkt dat bij verdenking op een van deze long-aandoeningen altijd geprobeerd moet worden uit te zoeken of iemand inderdaad astma, chronische bronchitis of emfyseem heeft en of er bepaalde factoren zijn aan te wijzen die verant-woordelijk zijn voor het ontstaan van de klachten. Heeft u een paar keer per jaar last van wat kortademigheid – bijvoorbeeld na een griep – dan is een uitvoerig onderzoek niet nodig. Wordt u echter regelmatig geconfronteerd met aanvallen van benauwdheid en blijven deze na behandeling door de huis-arts met de gebruikelijke doseringen van een luchtwegbe-schermend middel regelmatig terugkomen, dan is nader on-derzoek zeker op zijn plaats. Wat kan daaruit naar voren ko-men?

• Uit een allergie-onderzoek kan bijvoorbeeld naar voren ko-men dat u bepaalde stoffen moet ontlopen, terwijl u niet wist dat u er allergisch voor was!

• Het kan ook zijn dat uit longfunctieonderzoek blijkt dat er hogere doseringen luchtwegbeschermers nodig zijn of dat langwerkende luchtwegverwijders maar eens geprobeerd moeten worden.

• Daarnaast kunnen in een vroeg stadium longfunctiestoor-nissen gevonden worden, waaraan misschien door een goede behandeling een halt toegeroepen kan worden.

Bij sommige astmapatiënten, maar vaker bij mensen met ch-ronische bronchitis en emfyseem blijken de klachten niet zo ernstig te zijn, terwijl de longfunctie al flink gestoord is. Dat is de reden dat steeds meer stemmen opgaan om de ernst van de aandoening niet alleen aan de klachten af te meten, maar bovendien longfunctieonderzoek te doen, omdat dit medebe-palend is welke behandeling nodig is.

Welke rol speelt fysiotherapie bij astma, chronische bronchitis en emfyseem?

Er zijn verschillende redenen om een CARA-patiënt fysiotherapie te geven.

- *Verbetering van de ademtechniek.* De astmapatiënt kan ontspannende ademhalingsoefeningen aangeleerd worden. Sommige mensen zijn hierdoor in staat hun klachten of het verloop van een aanval op een gunstige wijze te beïnvloeden. Ook voor emfyseempatiënten kunnen ademoefeningen van grote betekenis zijn. Want bij emfyseem is er sprake van elasticiteitsverlies van de luchtwegen, waardoor deze slapper worden. Bij krachtige of te snelle uitademing worden ze gemakkelijk dichtgedrukt waardoor er minder lucht naar buiten kan stromen (zie pag. 29 e.v.). De fysiotherapeut leert de emfyseempatiënt zodanig te ademen dat dit 'dichtgedrukt worden' van de luchtwegen zoveel mogelijk wordt verhinderd en met name het uitademen gemakkelijker gaat (zie vraag 90).
- *Ophoesten van slijm.* De chronische-bronchitispatiënt kampt vaak met een toegenomen slijmproductie. De fysiotherapeut kan hem bepaalde hoesttechnieken (huffen) aanleren waardoor hij zelf in staat is het overmatig slijm op te hoesten, zonder dat daarvoor het bekende 'kloppen' nodig is.
- *Verbeteren van de conditie.* Veel chronische-bronchitis- en emfyseempatiënten hebben een slechte conditie. Zeker de wat oudere patiënt kan vaak meer dan hij denkt. Maar doordat juist door inspanning nogal eens kortademigheid ontstaat, gaan ze dit uit de weg, waardoor verder conditieverlies optreedt. De fysiotherapeut is vaak in staat te helpen hier weer verandering in te brengen (zie ook vraag 89, 90 en 119).
- *Verbeteren van de dagelijkse activiteiten.* Emfyseempatiënten beschikken soms over zo weinig zuurstof dat normale alledaagse activiteiten hun nog te veel zijn. De fysiotherapeut kan belangrijke aanwijzingen geven om tijdens meer inspanning op een bepaalde manier te ademen en efficiënter te bewegen. Zo wordt geprobeerd om de beschikbare zuurstof zo efficiënt mogelijk te gebruiken.

118
Biedt de alternatieve geneeskunde nieuwe perspectieven voor CARA-patiënten?
In hoeverre zijn luchtfilters en ionisatoren zinvol voor CARA-patiënten?

Er zijn patiënten die aangeven dat de astmatische klachten zijn afgenomen dankzij een of andere vorm van alternatieve therapie. Maar men ontmoet ook patiënten die geen baat bij een dergelijke behandeling hebben gevonden.
Tot op heden is slechts op zeer beperkte schaal wetenschappelijk onderzoek naar het effect van alternatieve geneeswijzen op astmatische klachten verricht, zodat over de waarde daarvan nog geen gefundeerde uitspraak gedaan kan worden. Behandeling van aandoeningen als astma, chronische bronchitis en emfyseem vraagt kennis van zaken en hoort in handen te zijn van mensen die hiermee veel ervaring hebben. Gaat u op een andere behandelingswijze over, bespreek dit dan eerst met uw dokter. Stop niet zomaar met uw gebruikelijke medicijnen zonder dit overlegd te hebben. Bovendien moet u zich goed realiseren dat bepaalde medicamenten niet plotseling gestopt kunnen worden. Dit geldt met name voor prednis(ol)on (zie vraag III en II2).
Ook het stoppen van de beschermende middelen als inhalatiesteroïden kan grote risico's met zich meebrengen waardoor u na korte of langere tijd voor misschien niet zulke prettige verrassingen komt te staan.

Het gebruik van *luchtfilters* en *ionisatieapparatuur* bij de behandeling van CARA blijft discutabel. Er zijn geen bewijzen voor het nuttig effect ervan. Er zijn echter wel CARA-patiënten die aangeven dat ze zich beter zijn gaan voelen, nadat ze dergelijke apparatuur zijn gaan gebruiken. Deze berichten zijn echter zeer wisselend. Ook is moeilijk vast te stellen welk type patiënt van deze aanschaf profijt zou kunnen hebben. Het Astma Fonds stelt zich daarom nog steeds op het standpunt dat het aanschaffen van deze apparaten door patiënten ontraden moet worden. Een en ander is nader uiteengezet in een artikel in het blad *Contrastma* (nr. 4, juli 1994) dat wordt uitgegeven door het Astma Fonds. Een gedeelte daarvan is hieronder overgenomen.

Er zijn verschillende luchtfilters op de markt. Met deze apparaatjes wordt de lucht in de kamer gefilterd. Een luchtfilter haalt deeltjes uit de lucht. Zo kan een luchtfilter bijvoorbeeld vrij zwevende allergenen wegvangen. De verwachtingen omtrent de werkzaamheid van dergelijke apparaten – uitgedrukt in de vermindering van klachten – moeten echter niet te hoog gesteld worden.

Er is op dit moment geen betrouwbaar onderzoek bekend waaruit blijkt dat plaatsing van luchtfilters in Nederlandse woonhuizen leidt tot vermindering van CARA-klachten. Let wel: dit zegt niets over de technische prestaties van een dergelijk apparaat. Van de meeste merken bestaan betrouwbare testrapporten over hun filtrerend vermogen.

Veel CARA-patiënten zijn allergisch voor de huisstofmijt. Het is onwaarschijnlijk dat een luchtfilter helpt om inademing van het huisstofmijt-allergeen te voorkómen. In veel gevallen is de afstand tussen de bron van het allergeen (bijvoorbeeld het matras) en de mond of neus van de patiënt namelijk veel kleiner dan de afstand tussen die bron en en het luchtfilterapparaat. De kans dat een patiënt de voor hem schadelijke allergenen inademt vóórdat die door het filterapparaat zijn weggevangen, is dan ook groot.

Het is dan ook beter om het ontstaan van allergenen tegen te gaan dan om ze weg te vangen. Om de klachten te verminderen kunt u dus beter uw slaap- of huiskamer saneren, bijvoorbeeld door toepassing van allergeendichte matrashoezen.

Als u de aanschaf van zo'n apparaat overweegt, let u er dan wel op dat het geen ozon produceert. Ook is het verstandig het apparaat eerst een tijdje op proef te nemen, u kunt dan zelf rustig bekijken of u zich er prettig bij voelt.

119

Wat is longrevalidatie en wat is een astmacentrum?

Ernstige chronische aandoeningen van de luchtwegen kunnen lichamelijke, psychische en maatschappelijke gevolgen hebben, zowel bij kinderen als volwassenen. Dit kan tot gecompliceerde situaties leiden.

Kortademigheid kan ertoe bijdragen dat patiënten steeds minder goed gaan functioneren en daardoor in een slechte lichamelijke conditie komen. Het uithoudingsvermogen wordt minder goed en geleidelijk ontwikkelen zich maatschappelijke en psychische problemen. Sommige patiënten voelen zich daardoor een onvolwaardig lid van de maatschappij met alle gevolgen van dien. Ze raken op die manier geleidelijk in een negatieve spiraal (zie fig. 19). Ondanks de vele medicijnen blijft de patiënt benauwd en kan al bij gewone alledaagse activiteiten kortademig worden. Hierdoor gaat hij nog minder doen, wat weer leidt tot nog meer conditieverlies. Daardoor wordt het ontplooien van nieuwe activiteiten steeds moeilijker. Uiteindelijk is de patiënt tot steeds minder in staat, schermt zich van anderen af en is bang om wat te ondernemen. Daarbij raakt hij zozeer in een aantal problemen verstrikt, dat hij daar nauwelijks zonder hulp uit kan komen (zie fig. 15 op pag. 206).

Door middel van longrevalidatie kan de situatie verbeterd worden. Onderzoek op veel van de genoemde terreinen kan nodig zijn om na te gaan waar de problemen zitten. Dat kunnen er verscheidene zijn. Er zijn echter ook veel patiënten bij wie – naast de longproblemen – eigenlijk alleen maar de wat slechtere conditie het belangrijkste probleem is. De behandeling van de laatste categorie patiënten is natuurlijk minder gecompliceerd.

Om de doelstelling van de longrevalidatie – ervoor zorgen dat de patiënt weer zo goed mogelijk kan functioneren in gezin en maatschappij – te bereiken, wordt aan veel facetten van het (vaak) complexe beeld aandacht besteed (zie fig. 19). Onderzoek en behandeling op medisch gebied vormen uiteraard een belangrijk onderdeel van de longrevalidatie. Van be-

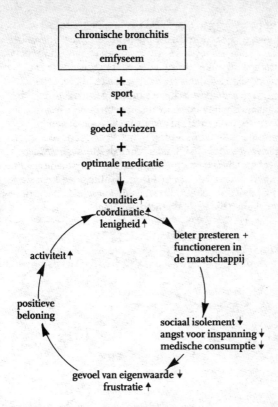

Figuur 19. *Longrevalidatie kan uitkomst bieden voor ernstige* CARA*-patiën-ten*. Bij longrevalidatie wordt aan vele aspecten aandacht besteed (schema uit het proefschrift van N. Cox).

lang zijn een optimale begeleiding door de arts, verpleegkundige en fysiotherapeut. Natuurlijk moet bijzondere aandacht besteed worden aan sanatie van het huis, het medicijngebruik, ademtechniek, conditietraining en voorlichting over wat de patiënt zelf kan en mag veranderen in zijn medicijnschema als dat nodig mocht zijn. Ook moet geleerd worden hoe de patiënt het beste zijn krachten kan verdelen en hoe hij zelf kan blijven trainen. Verder kan psychische en maatschappelijke ondersteuning noodzakelijk zijn (zie fig. 15 op pag. 205).

Vaak is hulp nodig in financiële zin, en tijdens de loop van de behandeling moet duidelijk worden 'hoe het nu verder moet'. Een dergelijke gespecialiseerde vorm van behandeling vraagt deskundigheid van ervaren mensen. Longrevalidatie kan plaatsvinden in astmacentra of andere daarin gespecialiseerde longcentra. Poliklinische behandeling is mogelijk, maar ook dagbehandeling hoort tot de mogelijkheden. Daarnaast kan iemand in een dergelijk centrum worden opgenomen. Nederland kent 5 astmacentra. In het Nederlands Astmacentrum te Davos in Zwitserland worden de gunstige invloeden van het bergklimaat en de afstand tot de thuissituatie als gunstige voorwaarden benut om de longrevalidatie te laten slagen. Behandeling in dit centrum is niet geschikt voor emfyseempatiënten die kampen met zuurstoftekort.

120

Welke CARA-patiënten hebben zuurstof nodig? Op welke manieren kan zuurstof worden toegediend?

CARA-patiënten die ondanks een zo goed mogelijke behandeling met medicijnen te weinig zuurstof in hun bloed hebben, komen in aanmerking voor behandeling met zuurstof thuis. Bij hen zijn de longen niet meer in staat om ervoor te zorgen dat het lichaam voldoende zuurstof krijgt aangevoerd. Daardoor hebben deze mensen niet alleen veel moeite met het doen van allerlei doodeenvoudige alledaagse activiteiten, maar er wordt ook meer van het hart gevraagd.

Een onderhoudsbehandeling met zuurstof heeft daarom twee doelen: er voor zorgen dat de patiënt meer kan en de problemen die van de kant van het hart zouden kunnen ontstaan zoveel mogelijk voorkomen (zie vraag 78). De gunstige effecten van de dagelijkse behandeling met zuurstof is door uitvoerig onderzoek onomstotelijk vastgesteld. Aangetoond is dat zuurstof alleen gunstige effecten heeft als de patiënten meer dan 16 uur per etmaal zuurstof gebruiken. Daarbij is in ieder geval 's nachts zuurstof nodig.

Hoe wordt zuurstof toegediend?
• Tot voor kort gebruikten nog veel mensen de zuurstof vanuit stalen cilinders (20 kg), die thuis worden bezorgd. Daarin zit voldoende voor een paar dagen. Vaak worden kleinere cilinders bijgeleverd die het de patiënten mogelijk maken ook in de auto of tijdens bezoek elders toch nog zuurstof ter beschikking te hebben. Bij gebruik van 1 liter per minuut is zo'n cilinder die ruim vijf kg weegt, goed voor hooguit een paar uur zuurstof.
De zuurstof wordt door middel van een slangetje en een zuurstof-bril via de neus ingeademd. Het slangetje kan ook via een klein gaatje in de grote luchtpijp gebracht worden waardoor het gezicht vrij blijft.
• Een betere oplossing voor het gebruik van zuurstof thuis biedt de vloeibare zuurstof. Deze bevindt zich in een zogenaamde moedertank, die thuis geplaatst wordt. Daaruit kun-

nen kleine draagtankjes gevuld worden vanwaaruit de patiënt via een slangetje zuurstof kan inademen.

Steeds meer patiënten maken tegenwoordig gebruik van deze moderne methode. Draagtankjes kunnen gemakkelijk worden meegenomen, zodat de patiënt veel mobieler is en niet meer gedoemd is om thuis aan de zuurstofcilinder gekluisterd te zitten. De draagtankjes moeten regelmatig vanuit de 'moedertank' worden bijgevuld. Dat geldt natuurlijk ook voor de moedertank. Dit grote vat wordt af en toe om onderhoudsredenen vervangen.

Het kleinste draagtankje (draagvat) voor vloeibare zuurstof weegt ruim 3 kg. Bij gebruik van één liter zuurstof per minuut is dat toereikend voor zo'n 15 uur. Dan moet de zuurstof weer uit de moedertank worden aangevuld. Zo'n groot vat weegt 50 kg en kan niet worden geplaatst als men een of twee hoog woont 'zonder lift'.

• Een alternatief vormt de zuurstofconcentrator. Dit is een apparaat waarin een elektrische motor zit en dat zuurstof uit de lucht haalt. Het apparaat is nogal zwaar en maakt bovendien veel lawaai. Mensen die thuis over een concentrator beschikken hebben – als ze mobiel zijn – natuurlijk ook weer draagtankjes nodig.

De uitwisseling van zuurstofcilinders, het onderhoud van de moedertank met vloeibare zuurstof, de controle van de benodigde apparatuur en instructies worden tegenwoordig heel goed geregeld en vormen geen reden om deze kostbare therapie af te wijzen.

Enkele waarschuwingen:
• Zuurstof vergroot het brandgevaar. Roken is dus uit den boze, ook voor andere gezinsleden in de directe nabijheid van de patiënt als hij zuurstof gebruikt.
• Heeft men een grote voorraad van meer dan 15 'tien-litercilinders' in huis dan moet een hinderwetvergunning worden aangevraagd.
• Vergeet niet de verzekering in te lichten over het feit dat u extra zuurstof in huis heeft. U krijgt er geen hogere verzekeringspremie door, maar als er problemen door het zuurstof mochten ontstaan, dan kunnen ze u nooit achteraf het verwijt maken dat u het niet heeft aangemeld.

Het Astma Fonds

Meer vragen over CARA? Het Astma Fonds is er voor u. Het Astma Fonds behartigt de belangen van CARA-patiënten. Het is een vereniging van meer dan 30.000 leden. Het Astma Fonds subsidieert veel wetenschappelijk onderzoek en andere nuttige projecten en het geeft voorlichting.

Over allerlei onderwerpen die met astma, chronische bronchitis en longemfyseem te maken hebben, kunt u bij het Astma Fonds brochures aanvragen.
Deze zijn gratis aan te vragen via het telefoonnummer 033-4941814. Enkele voorbeelden zijn:

- Omgaan met astma – voor volwassen patiënten
- Omgaan met chronische bronchitis en emfyseem
- Mijn kind heeft astma – voor ouders van kinderen in de basisschoolleeftijd
- Saneringsadviezen – als uw arts sanering van de woning adviseert
- Medicijnen
- Inhaleren
- Zuurstof thuis
- Op vakantie
- Hooikoorts
- Dauwworm

Ook kunt u zich abonneren op het voorlichtingsmagazine *Contrastma* dat 6 keer per jaar uitkomt.

Hebt u vragen over uw ziekte, dan kunt u op alle werkdagen van 10.00 uur tot 17.00 uur de CARA-lijn bellen: 06-8991191, vanaf najaar 1997: 0800-227 25 96.
Op veel plaatsen in het land organiseren de afdelingen van het Astma Fonds activiteiten voor CARA-patiënten. Ook organiseert het Astma Fonds vakantieweken voor patiënten die niet meer zelf op vakantie kunnen.

Verklarende woordenlijst

Allergeen: Stof die bij allergische personen overgevoeligheidsreacties veroorzaakt.

Allergie: Overgevoelig reageren op allergische stoffen.

Antibioticum: Geneesmiddel dat werkzaam is tegen bacteriën.

Antigeen: Stof die het lichaam aanzet tot de vorming van antistoffen.

Antilichamen: Antistoffen die worden gevormd tegen stoffen die het lichaam als bedreigend ervaart.

Antistoffen: Zie antilichamen.

Astma bronchiale: Longziekte, gekenmerkt door perioden en soms aanvallen van kortademigheid, waartussen klachtenvrije perioden optreden.

Bronchitis: Ontsteking van de slijmvliezen van de luchtwegen.

Bronchus: Luchtweg.

Bijnier: Klier, gelegen schuin boven boven de nier, die hormonen maakt. De bijnierschors maakt cortisol, het bijniermerg maakt adrenaline.

Bijnierschors: Buitenste deel van de bijnier dat een aantal hormonen maakt (onder andere cortisol).

CARA: Chronische Aspecifieke Respiratoire Aandoeningen, verzamelnaam voor een groep longziekten die niet veroorzaakt worden door een specifieke oorzaak zoals bacteriën, virussen of kanker.

Cortisol: Hormoon gemaakt door de bijnierschors.

Dauwworm: Nattend eczeem bij zuigelingen.

Dosisaërosol: Spuitbusje met daarin geneesmiddelen in vloeibare vorm. Door op het busje, dat zich in een houder bevindt, te drukken, komt het medicijn in de vorm van een nevel vrij.

Eczeem: Huidaandoening die vaak jeukt en waarvan de oorzaak vaak op allergie berust.

Emfyseem: Longziekte die gepaard gaat met elasticiteitsverlies van de luchtwegen en het kapotgaan van de longblaasjes.

Epidemiologie: Leer van de verspreiding van ziekten.

Evaluatie: Nagaan van het effect van een maatregel.

Histamine: Stof die bij diverse afweerreacties van het lichaam voorkomt en een belangrijke rol speelt bij allergie en overgevoeligheid van de luchtwegen.

Hooikoorts: Allergische aandoening die vooral neus- en oogklachten veroorzaakt, soms echter ook astmatische klachten.

Infectie: Het binnendringen van ziekteverwekkende micro-organismen in het lichaam.

Influenzavaccin: Entmiddel tegen griep.

Klinisch: In het ziekenhuis.

Longemfyseem: Zie emfyseem.

Longfunctieonderzoek: Onderzoek waardoor men vaststelt of de longen goed functioneren, en zo niet in welke mate zij hierin tekort schieten.

Piekstroommeter: Apparaat waarmee de snelheid van de uitademing wordt gemeten.

Poliklinische hulp: Hulp in het ziekenhuis bij ziekte geboden zonder dat men in het ziekenhuis wordt opgenomen.

Prognose: Het te verwachten ziekteverloop.

Provocatie: Uitlokken van.

Resistent: niet meer reageren op bijvoorbeeld antibiotica.

Saneren: Dit betekent letterlijk het gezond maken van de omgeving. In het kader van de behandeling van de allergische patiënt wordt deze term gebruikt om aan te geven dat zoveel mogelijk prikkelende en irriterende stoffen uit zijn omgeving moeten worden verwijderd.

Spirometer: Longfunctieapparaat voor bepaling van in of uit te ademen longvolumes en de snelheid waarmee lucht kan worden uitgeademd.

Sputum: Slijm dat wordt opgehoest uit de luchtwegen.

Therapie: Behandeling.

Ventileren: Lucht verversen.

Virus: Ultramicroscopische ziekteverwekker, bijvoorbeeld van griep, mazelen en vele andere kinderziekten.

Literatuur

Aalderen, W.M.C. van, E.J. Duiverman en J.C. de Jongste, *Trends in astmabehandeling bij kinderen*, Glaxo Pulmonaal, 1992.

Allergie, UCB Instituut voor Allergie, Soumillion, Brussel 1990.

Asthma, 3e ed., Chapman & Hall Medical, 1992.

Astma bij kinderen, 0-4 jaar, Astma Fonds, Leusden.

Brand, P.L.P., H.A.M. Kerstjens, *Risk Factors and Long-term Treatment in Obstructive Airways Disease*, proefschrift 1993.

Brink, W.T.J. van den, *Gezond met astma*, Glaxo Pulmonaal, 1997.

CARA, *oefenen en sport*, publikatie nr. 37, Het Nationaal Instituut voor de Sportgezondheidszorg 1990.

Chronische ziekten in het jaar 2005, dl. 2, scenario over CARA, 1990-2005.

Consensus astma bij kinderen, CBO, Utrecht.

Cox, N.J.M., *Effects of a Pulmonary Rehabilitation Programme in Patients with Obstructive Lung Diseases*, proefschrift 1990.

Dag sigaret, brochure voor mensen die willen stoppen met roken, Medidact b.v. Houten.

De noodzaak van stoppen met roken, Stichting Volksgezondheid en Roken, Den Haag.

Domselaar, W. van e.a. 'Kennis CARA-patiënt onvoldoende', *CaraVisie*, sept. 1992.

Essen-Zandvliet, E.E.M. van, *Long Term Intervention in Childhood Asthma*, proefschrift 1993.

Farmaco-therapeutisch Kompas, 1997. Uitgave van de Centrale Medische Pharmaceutische Commissie van de Ziekenfondsraad, Amstelveen.

Gerritsen, J., *Prognosis of Childhood Asthma*, proefschrift 1990.

Griffioen, R.W., J.C. van Nierop, J. van Zijverdem, *Kinderen en CARA*, Boom, Meppel/Amsterdam 1986.

Hyperventilatie, een adembenemend verschijnsel, Nederlandse Hyperventilatie Stichting, Amsterdam.

Knol, K., 'Kinderen en roken', *Huisarts College*, nr. 2 1993.

Knol, K., *Kinderen en tabak*, drukkerij C. Regenboog, Groningen 1993.

Koets, W.J., 'Voorjaarsbomenallergie en allergie voor voedsel', *Modern Medicine*, april 1995.

Leerboek longziekten, Van Gorcum, Assen/Maastricht 1993.

Mesters, I., *Infants with Asthma*, proefschrift 1993.

Moerkens, M., 'Luchtfilters, gouden bergen of luchtkastelen?', *Contrastma*, jaargang 33 nr. 4, juli 1994.

NHG-Standaarden CARA, kinderen en volwassenen, Nederlands Huisartsen Genootschap, Utrecht 1992.

Report of the Working Group on Asthma and Pregnancy, National Institutes of Health, Verenigde Staten 1993.

Rijcken, B., *Bronchial Responsiveness and Risk; an epidemiological study*, proefschrift 1991.

Roorda, R.J., *Features of Outcome of Childhood Asthma*, proefschrift 1992.

Saneringsadviezen, Astma Fonds, Leusden.

Stokkom, E. van, 'Hoezen beroven huisstofmijten van Luilekkerland', *Contrastma*, jaargang 33 nr. 4, juli 1994.

Adressen

Allergiewinkel
Sanatieproducten
Hoofdstraat 34a (boven de
apotheek)
5683 AE Best
tel.: 0499-375222

Astma Patiënten Vereniging
(VbbA)
Ridderhof 58
6834 EN Arnhem
tel: 026-3214446

Club van Aktieve
Niet-Rokers (CAN)
Postbus 792
3500 AT Utrecht
tel: 0346-214180

Landelijke CARA-patiënten
Vereniging
Mevr. G.C. Walen
Galvanistraat 16A
6716 AE Ede
tel: 0318-678222

Nederlands Astma Fonds
Postbus 5
3830 AA Leusden
CARA-lijn: 06-8991191
vanaf najaar 1997:
0800-2272596

Sanatiewinkel: Ambro
Sanatieproducten
Graafseweg 208
6531 ZX Nijmegen
tel.: 024-3770959

Stichting Teleac (cursus stoppen
met roken)
Jaarbeursplein 15
3521 AM Utrecht
tel.: 030-2956411

Stichting Volksgezondheid en
Roken
Postbus 84370
2508 AJ Den Haag
tel.: 070-3522554
informatielijn: 06-35012022

Thuiszorgwinkels: plaatselijke
Kruisvereniging of
Stichting Thuiszorgwinkels
Nederland
Afrikalaan 23
5232 BD Den Bosch
tel.: 073-6409696/6409600

Index van figuren en tabellen

Figuren

Tabellen

Register